수신자 부담

수신자 ——————— 부담

추천사

   대학에서, 아니 살아가면서 해야 할 일 중 하나는 '나'와 세계에 대해 알아가는 것이다. 이때 알아가는 것은 내가 알고 있다고 생각하는 것들이 사실은 그렇지 않다는 것에서 시작한다. 익숙하고 친숙한 것들이 낯설어지는 경험이 이러한 앎의 시작이다.

   사랑은 친숙하고 그렇기에 누구나 알고 있다고 생각하는 개념이지만, 막상 '사랑'이 무엇인가 물으면 답하기 어렵다. 답하기 어려울 때, 우리는 비로소 그것에 대해 생각하고 성숙해 간다. 『수신자 부담』의 곳곳에서 그러한 순간들을 마주할 때, 기껍다.

"조용한 카페에, 아파트 놀이터에, 학원가 길거리 위에, 노래방과 피시방에서 펜이 딸깍, 딸깍하고 내 불만을 울려 퍼트"(「'너'라는 미완의 글」)리는 순간, 내게 '나'와 '너'와 '세상'은 한없이 낯설어진다. 머뭇거림. 내가, 네가, 사랑이, 자리한 곳에 대한 감각이 무너지는 순간. 내가, 네가, 사랑이 낯설어지는 순간. 그 고통스러운 시간에 나는 '너'를, '사랑'을, 그리고 '나'를 마주한다.

이 책의 작가들은 가족, 연인, 친구, 반려동물, 그리고 나 자신에 대한 '사랑' 앞에서 머뭇거리며, 글을 쓴다. "잠들지 못하는 밤"(「밤이 참 길어」), '나'와 '세계'가 낯설어지는 시간에 쓰는 이 '사랑' 이야기는 '성숙'의 이야기이기도 하다. "우리가 느끼는 모든 사랑이란 감정이 항상 같"지 않고(「처음부터 끝까지 사랑」), "사랑은 단어 하나이지만 그 안에 담긴 뜻은 하나가 아니"며(「스물아홉, 생일 선물」), "내가 생각하고 표현할 수 있는 사랑에는 근본적인 한계"가 있다(「J에게」). '사랑'을 모른다고 말할 때, '사랑'을 알아가기 시작한다.

효용과 이익이 가치판단의 중심이 된 시대, 누가 시키지 않아도 함께 모여 고민하고 글을 쓰고 책을 낸다는 일은 참 '쓸모없'고 '사치스러운' 일이다. 그것이 얼마나 어려운 일인지 알기에, 이 책이 소중하고 사랑스럽다.

하던 일을 잠시 멈추고 이 책과 함께 잠시 쉬어가면 어떨까?

사실 '사랑'만큼 중요한 일도 없지 않은가?

김진규 (가천대학교 한국어문학과 조교수)

차
례

수신자 부담

—

"라면이 끓는 데 10분이 걸렸다면,
아니 3분보다 조금이라도 늦게 끓었다면
우리가 엉겨 붙어
서로를 아껴줄 시간이 더 길었을 텐데."

라면은 고작 3분이면 끓어서

김아현

스테인리스 냄비에 부어진 물은 아직 차갑다. 힘을 주지 않고 돌려도 불은 거센 화력을 자랑하며 번쩍거린다. 얼마 지나지 않고 작은 기포를 내뿜는 물에 봉지를 털어 넣는다. 하얗지도 않아 바닥이 훤히 비치던 물은 금세 붉어져 춤을 춘다. 끝이 어딘지 전혀 짐작할 수 없게 붉었다. 거세게 끓어올라 넘칠 듯이 차올라 위태로워 보이고. 잠깐 한눈을 팔았더니 붉은 그것이 내 살갗 위로 튀어 올라 놀래킨다. 불을 줄이고 두꺼워지는 면발을 바라보다 다시금 끓어오를 때 불을 껐다. 고작 3분이 걸렸다. 국물이 튀어 내 팔은 아직 붉은데 라면은 점점 불어간다. 졸아지는 국물은 나를 기다려주지 않아 쓰린 팔을 뒤로하고 젓가락을 가져왔다. 한입 넣는데 맛이 느껴지지 않아서, 너만이 떠올라서 투명한 눈물을 떨어뜨린다. 흐르는 눈물은 분명 냄비를 가득 채웠는데 물은 맑아지지 않았다. 그래서 계속 울었다.

라면을 자주 찾는 너는 그 3분 기다리는 걸 어려워해 내 품에 안겼다. 이러고 눈 한번 감았다 뜨면 시간이 금방 간다며 부르는 콧노래는 나한테까지 전해져 울렸다. 덥수룩한 머리칼을 손에 담아 쓸어내리면 더할 나위 없이 편안하고, 옅게 코끝을 간지럽히는 스킨 냄새는 참으로 자연스러워서. 면발을 풀러 가는 너를 품에서 놓아주지 않았다. 안고 있으면 나의 시간도 빨리 가 라면이 조금 더 늦게 익었으면 했다.

　부대찌개는 우리가 가장 많이 먹은 음식이었다. 면을 참 좋아하는 너였기에 어떤 음식을 먹던 꼭 라면 사리를 두 개 추가했다. 몇 번 딸깍거리던 불이 켜지면, 마치 짠 듯이 라면 봉지를 뜯어 넣고, 한 명은 국자로 그 위를 적셨다. 고이는 침을 삼키면서도 내 앞접시를 채우는 게 우선이었던 너의 모습은 유난히 든든해 보였다. 힘을 줘야 부서지는 라면보다도 단단해 보였다.

　'라면 먹고 갈래?'

식상하기 짝이 없는 그 말도 너에게 들으니 웃음이 새어 나
왔다. 라면을 그다지 좋아하지 않는 내가 뭐가 그리 좋다고 잇
몸을 드러내고 웃었는지. 도무지 알 수 없는 밤이었다. 찬장 위
에서 꺼낸 라면 두 봉지를 뜯지 않은 채 꼴딱 밤을 지새웠다. 불
을 켜지도 않았는데 뜨겁게 끓어올라 방안을 붉게 채웠다. 붉
은색이 진할수록 맵다면 우리의 사랑은 아주 매웠다.

술을 먹은 다음 날이면 네가 항상 끓여주는 라면이 있었다.
한입 먹고 개운한 음성을 내뱉으면 뒤돌고 있는 너의 광대가
솟아나는 걸 볼 수 있었다. 그게 좋아서 칭찬을 몇 마디 더 하면
잔뜩 신나 옆에 딱 붙어 앉는 너였다. 라면은 그런 음식이었다.
아주 간단하고, 값도 싸지만 가장 활용도가 높고, 다양한 맛을
낼 수 있는 어디에나 어울리는 존재. 내 모든 모습은 너 옆에 있
을 때 가장 어울렸다. 너는 라면이었다.

.

정적만이 맴도는 집 안에 물이 쏟아지는 소리가 들리고, 딸
깍거리는 소리가 가득 퍼진다. 라면을 끓이는 게 분명한데 어

째서인지 발걸음은 가까워지지 않는다. 몸을 일으켜 시선을 주방에 거두니 너의 시선은 나를 향하지 않았다. 젓가락을 들어 라면을 풀어헤치기까지 한다. 아직 퍼지지도 않은 라면을 그 자리에 서서 입에 넣는다. 3분이 그리 길었던지, 나는 한참을 바라볼 수밖에 없었다.

계란을 풀어 넣으면 라면은 본연의 맛을 잃는다던 네가 오늘은 계란을 가득 깼다. 살짝만 건드려도 금이 가는 계란이 마치 우리 같아서. 식탁 위에서 굴러떨어질 것 같아 달렸지만 결국 깨졌다. 미끄덩거리는 흰자는 손을 자꾸 빠져나가 다시 그릇에 담기 어려웠다. 그러다 노른자가 터져버려 결국 걸레로 닦아낼 수밖에 없었다. 금세 스며들어 노란빛을 내지 않는 계란은 깨진 줄도 모르게 모습을 감춰버렸다. 마치 없었던 것 마냥.

뭘 먹고 있냐 물으면 항상 '라면'을 답하는 너에게 몸을 챙기라 항상 말했었는데, 나는 지금 내 몸 하나 챙기지 못하고 있다. 완전식품이라며 걱정하지 말라는 너의 존재가 나에게 완전식품이었나 보다. 라면을 하루도 거르지 않고 먹으면 자극적인 줄 모르듯, 나는 너를 당연시하게 여겼다. 오래 묵혀 놓은 컵라면을 꺼내 선보다 더 많은 물을 따랐다. 싱거워야 할 물의 양인 데 오늘은 유난히 더 짜다. 눈물이 그렇게나 많이 들어갔나.

.

　라면이 끓는 데 10분이 걸렸다면, 아니 3분보다 조금이라도 늦게 끓었다면 우리가 엉겨 붙어 서로를 아껴줄 시간이 더 길었을 텐데. 편의점에 가도, 분식집에 가도, 너무나 쉽게 보이기에 어딜 가도 네가 생각날 수밖에 없다. 향수보다 더 짙은 향을 내기에 멀리서도 네가 있는 것만 같았다. 궁상맞게 한참을 미적거리다 끼니를 대충 때우려 물을 올렸다. 딱 면이 불어버리기 전까지만 너 생각을 하기로 했다. 순식간에 끓어버리는 라면을 보고 있자니 또 울컥해서 약불로 줄여본다. 그렇게 줄여도 라면은 고작 3분이면 끓어서. 오늘도 나는 라면을 다 불려버렸다. 먹지 못할 만큼 졸아버린, 그래서 붙어버린 면발들이 지난날의 너와 나를 떠올리게 했다. 목구멍에 아무것도 넣지 않았는데 배가 전혀 고프지 않았다. 너를 떠올리기만 해도 든든해서인지 배가 불렀다. 그래도 속 깊은 곳에서 올라오는 허기는 채워지지 않았다. 항상 보고 싶었지만, 그립지만 그날따라 익숙한 네가 유난히 보고 싶었다. 새로 물을 올리고 3분이 지나면, 뜨거운 물에 어지러워도 너만은 나를 알아보고 옆자리를 부디 지켜주길 간절히 바라본다.

"할머니의 사랑은
그 봉지로는 측정할 수 없는 사랑이었다."

기대도, 실망도, 사랑은.

김정윤

　나에게 사랑이란, 주는 만큼 돌려받고 싶은 것이었다. 한 보따리 가득 사랑을 담아와 나누며 기대하기도 하고, 기대만큼 돌려받지 못하면 실망도 했다. 기대하지 않고, 실망하지 않으며 그저 끝없이 사랑을 줄 수 있게 된다면 어떨까. 받는 것을 기대하지 않고도 줄 수 있는 사랑은 존재할까?

　나는 언제 그저 끝없는 사랑을 받아왔나 생각해 보았다. 부모님의 사랑, 친구 간의 사랑도 있겠지만 오늘은 할머니로부터 받은 사랑을 이야기하고 싶다. 특히 나의 증조할머니, 김채분 할머니께서 주신 사랑이 기억에 남는다.

　열 살 무렵, 나는 진부에 있는 증조할머니 댁에 자주 놀러 갔었다. 혼자 지내고 계시던 할머니 집에 도착할 때면 "정윤이 왔어?" 하시며 반갑게 나를 맞아주시는 할머니를 꼭 안아드렸다. 할머니 집 앞 마당에는 꽃사과 나무가 한 그루 있었는데, 그

작고 빨간 사과를 따 먹으며 "으~ 할머니 이거 떫어요." 하며
어리광을 부리기도 했다. 할머니의 침대맡에는 항상 책이 있었
다. 90세가 넘으셨음에도 불구하고 꾸준히 책을 읽으며 공부
하시던 할머니의 모습에 나도 열심히 공부해야지 다짐하기도
했다. 옆에 앉으라며 침대를 툭툭 치시던 할머니의 손짓에 옆
으로 다가가 손을 붙잡고 이야기를 나눴다. 요즘은 무얼 하고
지냈는지 둘러앉아 이야기하다 보면 집에 가야 할 시간이 돌아
왔고, 할머니는 항상 눈시울을 붉히시며 헤어짐을 아쉬워하셨
다. 우리가 떠나가면 할머니가 얼마나 외로워하실지 알고 있었
기에 나도 눈물이 차오르려던 것을 꾹 참고 또 오겠다며 밝게
인사하고 집을 나섰던 기억이 있다.

얼마 전까지는 요양원에 계셨는데, 행사가 있을 때마다 사탕
을 사서 모아두다 나에게 봉지 가득 사탕을 선물해 주셨던 할
머니의 사랑은 그 봉지로는 측정할 수 없는 사랑이었다. 언제
나 나의 안부를 궁금해하고, 항상 나에게 무엇을 줄 수 있을지
고민하고, 내가 건넨 편지봉투를 고이 간직해두시는 모습을 보
며 이런 사랑이 끝없는 사랑이구나 실감했다. 내가 그만큼 다
돌려드리지 못한다고 해도, 변하지 않을 사랑 말이다.

기대도, 실망도, 사랑은,

이 사랑을 깨닫게 된 건 어렸던 열 살 무렵이 아닌, 스물하나인 지금이다. 어르신분들의 디지털 격차를 해소하고자 글로써 팀원으로서 복지회관에 가게 된 나는 다섯 분의 할머니를 만났다. 여러 만남 동안 핸드폰, 패드 사용법을 알려드리며 할머니가 직접 찍으신 사진도 보고, 전화번호를 교환해 문자 보내는 방법도 알려드리는 시간을 가졌다. 디지털 다이어리에 들어갈 그림도 그리고 인터뷰를 통해 글도 쓰면서 할머님들의 삶에 가까이 다가가기 위해 노력했다. "이런 기회를 만들어주셔서 정말 고맙습니다. 우리 딸, 아들들도 알려주지 않았던 걸 배우게 되어 좋아요. 이렇게 젊은 학생들과 함께하니 나도 젊어지는 기분이네요." 하시며 계속 감사하다고 말씀하시던 할머님들의 모습이 아직도 생생하다.

활동이 끝나고 점심을 먹으러 갔을 때, 낙지 덮밥을 시킨 나에게 할머니께서는 자신의 칼국수를 한가득 나눠주셨다. 다 못먹는다고, 할머니 더 많이 드시라고 아무리 거절해도 통하지 않았다. 할머니는 "한 젓가락 주면 정 없다 그랬어." 하시며 수북이 칼국수를 나눠주셨고, 그 사랑이 담긴 들깨 칼국수는 최근에 먹었던 그 어떤 음식보다도 맛있었다.

할머니의 친손녀도 아닌데 내 손을 꼭 붙잡고 고맙다고 이야기해 주시는 그 진심이, 다 드실 수 있음에도 너무 많다며 나에게 한가득 칼국수를 주시던 할머니의 사랑이 내가 받은 끝없는 사랑을 떠올리게 했다. 놀랍게도 이 사랑은 메마르지 않는다. 크디큰 사랑을 받은 사람은 사랑으로 가득 차올라 세상에 그 사랑을 나눌 것이고, 사랑을 전했던 사람에게 어떤 형태로든 돌아올 것이기 때문이다. 나는 그 사실을 최근에서야 깨달았고 나 또한 기대하지도, 실망하지도 않으며 끝없이 사랑을 전하는 사람이 되고 싶다는 생각이 들었다. 사랑은 나눌수록 더 커져 어떤 형태로든 나에게 돌아올 것임을 이젠 깨달았기 때문이다.

언젠가 내 증조할머니께 지금은 닿을 수 없는 편지를 혼자 써보기도 했다.

-

많이 보고 싶어요, 할머니.
나의 증조할머니, 나의 영원한 김채분 할머니.
할머니의 따스함으로 참 많은 새싹이 피어났어요.
할머니의 현명함을 모두 나눠 가졌답니다.

기대도, 실망도, 사랑은.

목도리도 하나 만들어드리지 못하고
작별 인사도 제대로 못 드려서 정말 죄송해요.
오늘따라 할머니가 너무 보고 싶어요.

할머니와 함께한 모든 시간이 행복한 추억으로만 가득해요.
헤어질 때마다 눈시울을 붉히셨던 할머니,
이젠 제가 펑펑 울고 있네요.

금방이라도 다시 뵐 수 있을 것만 같은데,
이제는 할머니를 직접 뵙고, 안고, 손잡을 수 없다는 게
너무 슬퍼요.

할머니, 할머니께서 항상 기도해 주셨던 것처럼 저도 세상에
좋은 발자취를 남기는 사람이 될게요.
부끄럽지 않은 삶을 살게요. 나중에 할머니께 달려가 행복한
미소로 가득한 얼굴을 보여드릴게요.
할머니가 전해주신 사랑, 세상에 널리 나눌게요.

할머니, 사랑해요.

많이 보고 싶어요.

—

　할머니는 코로나로 인해 갑작스럽게 세상을 떠나셨다. 할머니께서 이젠 떠날 때가 됐다고 이야기하실 때마다 이별을 어떻게 받아들일지 준비하고 있었지만, 수능을 앞두고 있던 나에게 그 소식은 더 큰 아픔으로 다가왔다. 항상 내가 어느 학교에 가서 어떻게 꿈을 펼칠지 기대하고 계시던 할머니께 대학에 합격했다는 소식조차 전할 수 없었기 때문이다. 딱 몇 달만 더 할머니를 뵐 수 있었더라면 할머니께 더 큰 기쁨을 전해드릴 수 있었을 텐데….

　이제는 안다. 그 사랑이 얼마나 위대했는지를. 그 사랑으로 내가 얼마나 무럭무럭 자랄 수 있었는지를. 할머니가 없었더라면 존재하지도 않았을 나는 가족들을 사랑으로 키워내신 할머니가 정말 존경스럽고 자랑스럽다. 할머니가 전해주신 끝없는 사랑을 이젠 세상에 나누고 싶다. 계산하지 않고 사랑을 전하고 싶다. 나누며 더 커질 나의 사랑을 기대하며, 돌려받지 못함에 실망하지 않겠다. 측정할 수 없는 나의 사랑을 기대하며.

　　　　　기대도, 실망도, 사랑은.

"내 스물아홉 생일 선물이야."

스물아홉, 생일 선물

김현정

"내 스물아홉 생일 선물이야."

이 말이 불쑥 생각난다. 엄마는 표현을 잘 안 하는 사람이다. '사랑해'라는 말을 장난으로라도 꺼내지 않는 사람. 물론, '사랑해'라는 말이 아니어도 평소에 엄마가 날 사랑한다는 건 알고 있었다. 잔소리도 애정에서 나온다는 걸 알고 있으니까. 관심이 없다면 신경조차 안 쓴다는 걸 알기에. 하지만, 직접적으로 말하지는 않았지만 가끔은 섭섭하기도 했다. 그래서 '선물'이라는 단어가 나한테 해준 엄마만의 사랑한다는 표현이어서 더 기억에 오래 남아 있는 걸지도 모르겠다.

사랑? 아마 가장 어려운 단어가 아닐까 싶다. 연인 간의 사랑뿐만 아니라 가족, 친구, 취미같이 우리가 무언가와 사랑에 빠지는 순간은 많다. 보이지 않기에 각자 느끼는 크기가 다르기에, 이 크기 때문에 때로는 부족하기도, 때로는 넘쳐흐르기도 한다. 나에게 사랑은 눈에 보이지 않는 것 중에 가장 알쏭달쏭한 단어다. 이 감정 하나로 새로운 관계를 맺기도 하고, 너무나 쉽게 끊어지는 일이 생기니까.

내가 봐왔던 사랑의 형태가 매 순간 행복하다고 말할 수는 없겠지만, 함께이기에 느끼는 감정의 온도가 더 특별한 순간을 만들어 준다. 사랑은 단어 하나이지만 그 안에 담긴 뜻은 하나가 아니다. 여러 뜻이 있는 만큼, 여러 단어로 전달된다. 따뜻하고 귀하게. 곁에서 보는 사랑의 여러 모습. 그 사랑들이 어떤 형태로든 결실을 보고 모습을 보일 때가 신기하다.

하지만, 가장 예상할 수 없는 것 중 하나라고 생각한다. 형태가 없기에 짐작만 할 수 있다. 기분에 따라, 어떤 생각을 하느냐에 따라 각양각색의 모습으로 곁을 스쳐 지나가는 단어. 보이지 않아서 가끔은 상상하는 재미가 있고, 무언가 기대하게 한다. 하지만 동시에 실망도 같이.

내가 가장 크게 실망하는 사람이자, 내가 가장 사랑하고 싶은 사람은⋯⋯

둘러싸인 환경이 조금씩 변화를 맞으면서 가끔 불쑥 튀어나온 모난 돌 하나가 마음을 헤집어 놓는다. 한 번 비교하기 시작하면 끝도 없다는 걸 알면서 계속 나한테 없는, 내가 다른 사람에게 가져오고 싶은 것들에 나를 하나하나 맞춰본다. 성향이 다르고, 해오는 일들이 다르다는 걸 알면서 내심 내가 가지고 있지 못한 것에 대한 조바심이 불쑥 치고 들어온다. 한 번 눈에 밟히기 시작하면 괜찮았던 것들 역시 서서히 무너져 내린다. '비교'라는 단어의 뜻을 보면 별거 아닌 거 같은데 두 글자 안에 갇혀 버리는 순간은 무수히 많다.

나는 왜 계속…

그날도 많은 생각이 부풀고 있을 때였다. 이 답답한 마음을 풀어야 하는 법에 대해 고민하고 있었는데 무심코 벽에 붙어 있는 2012, 2019, 2020, 2022년 순으로 엄마가 나한테 도움이 될 만한 시나 문장들을 적어준 게 눈에 들어왔다. 평소에는 눈에 들어오지 않던 걸 찬찬히 둘러봤다. 놀랍게도 엄마가 붙여준 2019년, 5월에 써줬던 글귀에 지금의 내가 가지고 있는 고민에 대한 답이 적혀 있었다.

'나는 왜 잘하는 게 하나도 없을까?'라는 생각을 하며 스스로를 비하하지는 말자. 그 말에는 '남들은 잘하는데….'라는 무시무시한 비교의 덫이 도사리고 있다. 남들과 비교하며 오늘을 낭비하지 마라. 대신 '어제의 날보다 오늘의 나는 나아졌는가?'라고 물으며 살자.

- 심리학, 열일곱 살을 부탁해 중에서

5년 전에도 같은 생각을 했는지는 기억이 잘 나지 않지만, 차오르는 생각들을 눌러 담을 수 있게 됐다.

글을 쓰면서 오랜만에 멈춰져 있는 일기장을 펼쳤다. 역시나, 잊어버렸던 일들이 쓰여 있는 기록을 보니 기억이 되살아났다. 나의 고민, 행복했던 일, 평범한 일상이 고스란히 담겨있는 기록들. 오늘이 쌓여서 만들어진 기록들은 그렇게 알게 모르게 나를 둘러싸고 있었다. 부족할 수는 있겠지만 그때의 내가 기록했던 일들이 지금과는 좀 더 다른 방향으로 이끌어주지 않을까 하는 바람이 담겨있는.

오늘이 지나고 보면, 누구보다 잘 즐기고 싶지만, 늘 한구석

스물아홉, 생일 선물

에 자리 잡은 석연치 않은 감정에 이리저리 휘둘리다 잠에 빠질 때도 있고, 기쁜 나머지 오래도록 그 여운을 붙잡고 웃음 짓는 날이 있다. 계속 반복되는 날들 속에서 눈을 뜨면 새로운 하루의 시작인 오늘이라는 막연함 하나에 모든 게 시작된다. 어제와 같은 장소에 있지만 어떤 일이 일어날지는 직접 내가 부딪혀 봐야 하며 아무것도 예측할 수 없다. 내가 기억하고 싶은 오늘은 점점 희미해질 테지만 새로운 오늘이 그 자리를 채우고 나는 또 그렇게 새로운 것에 둘러싸여 무언가를 추억하고, 아쉬워할 테지.

2023년을 보내면서 썼던 일기의 문장이 눈에 들어온다. "아쉬움을 남기지 않고 싶은데 뭔가 계속 걸린다. 확실히 뭐라 아쉽다고 딱 말할 수는 없지만, 마지막이라고 하니까 모든 게 아쉽다. 실체가 없는 아쉬움. 단단해지고 싶다. 계속 부족함이 보여서 큰일이다."

내가 가장 크게 실망하는 사람이자, 내가 가장 사랑하고 싶은 사람은……

나였기에 늘 나름의 용기와 이유가 필요한 날이 있다. 하지만 그럼에도 불구하고, 곁에 쌓인 기억과 흔적에 다시 생각할 힘이 생긴다.

2024년도 벌써 꽤 흘러갔다. 모든 게 작년과 크게 달라지지 않겠지만, 지금 지나가고 있는 이 날을 숱한 고민에 날려 버리지 말기. 나름대로 잘하고 있을 테니, 잘 먹고, 잘 자고, 잘 쉬기.

사랑해, 아주 많이.

스물아홉, 생일 선물

"제게 사랑이란 누군가의 이름 석 자입니다."

사랑에 관한 단상

박나연

0. intro

아아. 마이크 테스트. 발표 시작하겠습니다.

안녕하십니까. 이나비입니다.

사랑을 말할 땐 언제나 물음표로 끝나는 문장들을 늘어놓게 되는 것 같습니다. 사랑도 인생도 모두 물음표투성이이기 때문입니다. 사랑이 넘쳐흐르는 시대입니다. 글도 노래도 영화도 하나같이 사랑을 말하고 있어요. 사랑하는 자신에 취해 본질을 파악하지 않은 이들이 만들어낸, 쏟아져 흐르는 모방적인 사랑이요.

우리는 강박적으로 무언가를 '사랑'하며 살아가고 그렇지 않은 이들을 실패한 인간으로 여깁니다. 반면 사랑에 너그러운 이들은 추앙받기도, 헤프게 그려지기도 하죠.

그렇다면 사랑은 대체 무엇입니까?

1. bittersweet
사랑의 맛은 달콤할까 쌉싸름할까?

나는 사랑의 맛을 좋아한다. 무슨 맛이냐고 물어보면 대답하기에 제법 곤란하다. 한가득 물고 있으면 서서히 녹으며 입안을 맴도는 사랑의 끈적함. 달콤함이 먼저인가 쌉싸름함이 먼저인가. 사실 어떤 맛이 먼저인지 구분할 수도 없게 달고 쓴 것이 사랑인가?

언젠가 해보았던 사랑을 떠올리면 입안이 텁텁해진다. 다른 날은 달고 달아서 혀가 아렸다. 신기한 일이다. 사랑의 방법은 늘 다른데 단맛과 쓴맛은 항상 엉겨 붙어 있다. 녹여 먹다 보면 새콤한 잼이 나오는 사탕처럼. 먹고 얼굴을 찡그리는 아이가 되는 것만 같아, 사랑의 기로에 서면 자주 걸음을 멈추고 머뭇거리게 된다. 이번엔 목이 부을까? 입술이 부르틀까?

애정의 총량과 텁텁함의 농도는 비례도 반비례도 하지 않는다. 이번에도 분명 쓰겠지만, 알면서도 맛을 보고 다시금 볼이 헐어버리는 게 사랑인가보다. 혀끝에 닿으면 녹아내리는 형태 없는 감정체, 사랑. 내가 좋아하는 사랑의 맛은 순간의 달콤함이나 진득하게 묻어나는 쓴맛이 아니다. 머뭇거리다가도 눈 질끈 감고 씹어먹는 것. 기억에 속에 남아 맴도는 애틋함이다.

2. fever
나비는 열병처럼 사랑을 앓고.

뜨거웠다 온몸이 뜨거웠다 얼굴에 열꽃이 피고 손이 빨개졌다 너의 손을 잡았을 때 네가 내 얼굴을 감쌌을 때 느껴진 온기는 나의 것인가 너의 것인가 담배 냄새 배어 있는 너의 과잠을 입고 흡연장에 서 있으면 네가 떠오른다 내가 너무나 소중해 머리카락 한 올 건드리지 못했던 너 나비는 열병처럼 사랑을 앓고 언제나 누군가를 떠나보내야 배우는 우매한 인간이며 뒷모습을 더 사랑할 줄 아는 사람이다 우연에 의지하지 않는 유일한 행복 사랑을 앓는 동안엔 늘 열이 오르고 마음이 붕 뜬다 성급함이 만들어낸 애정이라 부르기엔 지나치게 저렴하고 쾌락이라 칭하기엔 무거운 것 너는 이것을 열병이라 했다 해열제도 들지 않는 불치병을 앓았다

3. call me by...
사랑에도 습관이 있다면.

당신의 목소리로 불러주는 나의 이름이 좋았다.

눈이 마주치면 아이처럼 소리 내어 웃었다. 낮은 목소리로
나비야, 하면 언제나 뛰어가곤 했다. 무언의 약속이었다. 당신
을 보고 한달음에 달려가 품에 얼굴을 비비는 나와 그런 나의
어깨를 감싸던 당신. 당신이 웃었다. 복숭아 향이 사르르 흘렀
다.
　사랑에도 습관이 있다는 말을 믿는가? 나는 굳건히 믿는다.
당신과 닮은 사람이 부르는 다른 이의 같은 이름에 움찔하는
내가 있다는 것. 일을 하다가도 나비야, 부르는 목소리에 놀라
뒤를 돌아본 적이 있다. 내 무릎만큼 오는 아기가 제 아버지에
게 뛰어가고 있더라. 닮아있는 그 다정함에 눈물 흘렸다는 것,
당신은 알까.
　나를 예뻐하는 방법을 몰랐던 내게 당신이 가르쳐주었다. 이
름을 불러줄 테니 입꼬리 올려 밝게 웃어달라고. 그렇게 너를
사랑해달라고. 사랑에도 습관이 있다면 내 이름과 당신의 이름

을 번갈아 되뇌는 것이다. 떠나고 없는 자리를 길가에서 문득
느끼는 것 또한.

사랑은 내게
당신과 했기 때문에,
오로지 당신이기 때문에 생겨난 감정이므로,
사랑의 다른 이름은 내게
당신의 이름이다.

0. outro
사랑은 대체 무엇입니까.

　이 질문에 대한 대답은 아직 찾지 못했습니다. 던져두고 떠
나가 버린 것도, 뒤늦게 깨달아 고독에 몸부림치는 것도 사랑,
사랑인가요. 그러나 사랑을 할 때 우리들의 모습이 가장 아름
답다는 것은 잘 알고 있습니다. 여러분의 사랑은 달콤합니까
쌉싸름합니까. 앓는 것입니까 피워내는 것입니까. 사랑에 지어
주고 싶은 이름이 있지는 않으신가요. 불리었던 이름이 그리우
신가요. 제가 드리고 싶은 말씀은, 부디 만끽하시라는 것입니

다.

　이상 발표 마치겠습니다. 질문 있으신가요.

아,

제게 사랑이란 누군가의 이름 석 자입니다.

들어주셔서 감사합니다.

"각자의 오색찬란(五色燦爛)한 사랑을 하고 있을
여러분에게."

사랑을 하는 당신들에게

송규미

2005년 한 아기가 다채로운 세상에 첫발을 내디뎠습니다. 어머니로 보이는 여인은 힘들어 보였지만 얼굴에는 웃음이 가득했고, 아버지로 보이는 청년은 아기에게서 눈을 떼지 못했습니다. 그리고 아기 보다 조금 더 커 보이는 아이는 아기가 신기한 듯 "이게 누구야? 이건 뭐야?"라며 피어오르는 호기심을 쏟아냈습니다. 모두가 아기의 새로운 시작을 응원했고, 아낌없이 사랑했습니다. 온 식구의 마음은 핑크빛이었습니다.

제 목을 가누지도 못했던 아기는 어린이가 되었고, 가족들과 넓은 세상을 여행하게 되었습니다. 반짝이는 윤슬이 일렁이는 파아란 바다, 나무들이 바람에 맞추어 춤추는 녹색 산, 물결이 살포시 흐르는 투명한 계곡, 북적북적 와글거리는 다른 나라 도시들까지. 어린이의 눈에는 신기한 것들투성이였습니다. 어린이의 호기심은 별빛을 담은 것처럼 반짝였고, 주변의 모든 것에게 특별한 의미를 주었습니다. 어린이에게 세상이란 끝없이 펼쳐진 황금빛 동화책 속이었습니다. 어린이의 마음은 노란 빛으로 반짝였습니다.

호기심으로 가득했던 어린이는 시간이 흘러 이제 초등학생이 되었고, 초등학교에 다니며 처음으로 친구라는 존재를 느끼기 시작했습니다. 아침부터 학교에 가고, 반 친구들과 학교 수업을 듣는 등 친구들과 일과의 대부분을 함께했습니다. 하교 후에는 학교 앞 문방구에서 고작 500원짜리 달고나를 누가 더 잘 만드는가에 대한 결투에서 이기는 것이 하루 중 가장 중요한 일이었습니다. 그 초등학생은 또래 친구가 무어라고 친한 친구가 학교에 나오지 않는 날이면 괜히 울적해지고는 했습니다. 파란 마음이었을 것입니다.

친구가 세상에 전부이던 초등학생은, 어느덧 중학생이 되었습니다. 몸이 크자 여느 중학생은 다 겪는다는 어려운 시기가 찾아왔습니다. 기분은 시도 때도 없이 바뀌었고, 모든 것이 뒤죽박죽이었습니다. 이것도 저것도 다 싫었고 이 세상에 재미있는 건 단 하나도 없었습니다. 머리는 혼란스럽고 마음도 요란하기 짝이 없었습니다. 빨간 마음이지만 파란 마음이었고, 파

사랑을 하는 당신들에게

란 마음이었지만 보랏빛 마음이었습니다. 결국, 마음에는 검은 색만이 남게 되었습니다.

몸의 나이와 마음의 나이가 어긋나는 시기가 지나고 고등학생이 되었습니다. 그리고 그 고등학생은 태어나서 처음으로 말로만 들었던 감정을 만났습니다. 그날은 무척이나 덥고 습한 여름이었습니다. 뚝뚝 흐르는 땀과 축축 처지는 무거운 공기에 기분 좋을 요소라고는 눈을 씻고 봐도 찾을 수 없었습니다. 그때 그 사람을 만났고, 그날은 소녀의 생에 가장 산뜻한 날이 되었습니다. 그저 지나가는 일상 중 하루였을 뿐이었는데, 그날은 소녀의 생에 가장 기억에 남는 하루가 되었습니다. 찰나가 영원으로 남는 순간이었습니다. 아마 빨간 마음이었던 것 같습니다. 하지만 소녀는 그것이 빨간 마음인지도 모른 채 소년 곁에 머물기 시작했습니다. 본인의 마음의 색을 알아차리기도 전에 소녀는 또 다른 소녀의 마음을 먼저 알아챘고, 빨간 마음은 사그라들었습니다. 소녀는 알 수 없는 보라색 마음에 사로잡혔을 뿐이었습니다. 소녀가 마음의 색을 깨닫게 된 건 시간이 조금 더 지난 후였습니다.

...

소녀는 살아가면서 다양한 사랑을 받고 또 주었습니다. 그리고 소녀는 살아가면서 다양한 색깔들로 마음을 채웠습니다. 그만큼 세상에는 무수히 많은 색깔이, 더 나아가서는 무수히 많은 사랑이 존재할 것입니다.

핑크빛 마음이든,

노란빛 마음이든,

푸른빛 마음이든,

검은빛 마음이든,

빨간빛 마음이든,

보랏빛 마음이든….

이외에 그 어떤 색의 마음이든 그것 또한 사랑하기 때문에 남겨지는 감정의 자취일 것입니다.

각자의 오색찬란(五色燦爛)한 사랑을 하고 있을 여러분에게.

사랑을 하는 당신들에게

"어린 나의 꿈같은 사랑이
우리의 악몽이 되지 않기를."

'너'라는 미완의 글

송민기

글이 잘 써지지 않는다. 글이 안개에 갇혀 버린 듯 나아갈 길도, 나아온 길도 보이지 않는다. 그날의 기억과 감정은 아직도 이리 선명하건만 무언가 그 문을 가로막고 있는 듯하여 나의 문장이 불완전하다. 불만족스럽다. 몇백, 몇천 자를 쓰고, 지우고, 고민하고 또 고민하다 다시 쓰고, 결국 마음에 들지 않기에 다시 몇백, 몇천 자를 지운다. 서술된 앞 문장들이 잘못된 건가 싶어 처음부터 다시 써보기도 해보고… 몇 번이나 퇴고를 반복하다 보면 돌고 돌아 다시 원점에 도달한 자신을 볼 수 있다. 이런, 이번에도 제자리걸음이었다.

난해하다. 이 둔탁한 벽을 도저히 어떻게 할 수가 없다. 좀 돌아가 볼까. 키보드 앞에서 벗어나 펜과 노트를 들고 집 밖으로 나가보면 어떻게든 되지 않을까. 힘겹게 자리에서 일어나 집 밖으로 나선다. 따사로운 햇살 아래에 그날의 잔향이 남아 내 머릿속 어딘가를 자극한다. 이 마을에서 내가 아는 모든 장소에 그 애와의 추억이 선명히 남아 있었다. 지난 십몇 년의 내 생애의 기억이 그 애와의 몇 시간과 며칠보다 가볍다는 것이 놀라워 그 깨달음을 노트에 몇 줄 적어본다. 그러나 자연스레 떠오른 지난 몇 년이 종이를 물 먹이고 손을 잡아당겨 결국 멈춰 세운다. 검은 선이 오락가락 그어지다 만다.

조용한 카페에, 아파트 놀이터에, 학원가 길거리 위에, 노래방과 피시방에서 펜이 딸깍, 딸깍하고 내 불만을 울려 퍼트린다. 한심한 글인 것을 그 문장들이 온전히 완성되기도 전에 알아채고야 만다. 그저 도저히 열리지 않는 그 문이 아직도 내 앞에 서 있을 뿐이다. 저 너머에 나의 글이 있고 그 애가 있는 듯한데, 나의 부족한 재주로는 들어서지 못한다. 그 세계에서 작디작은 나는 그 벽 너머를 엿보지도 못한다. 결국, 나는 벽을 바라보고 몇 번 두드려 보다가 낙담하여 검은 선으로 뒤죽박죽 더럽혀진 노트를 들고 다시 집으로 돌아온다.

지난 시간을 되짚어 보았던 몇 시간의 밀도가 버겁다. 졸음과 피로가 침대로 인도하고 나는 중력에 몸을 맡긴다. 조금 몸을 뒤척이고 허공을 바라보다가 작은 인형이 눈에 들어온다.

인형 뽑기가 고등학생의 지갑 사정을 고려하지 않는다는 것을, 얼마나 돈을 잡아먹는지를 제대로 알려준 그 인형. 하교 후, 학원 가는 길에 인형을 보곤 호들갑을 떨던 그 애. "뽑자."를 끊임없이 외치며 나를 불러 세우던 그 기억이 다시 재생된다. 출구에 아슬아슬하게 걸려있던 그 인형을 공략하며 나누던 목소리가 안타깝게도 선명하지 못하다. 아쉽다며 시선을 떼지 못하는 그 애와 계속 돈을 넣던 나, 이런 기억은 선명한데 그 목소리가 희미하다.

지난 추억에 서서히 잠겨 가던 나의 눈에 그 피츄 인형이 들어왔다. 피카츄가 아니라며 내게 주던 그 애. 이건 지금 생각해봐도 웃기기만 하다. 그게 다 거기서 거기 아니냐고 물어보았는데 세상에, 이 말에 그렇게나 크게 반응할 줄은 전혀 몰랐다. 화들짝 놀라며 어떻게든 날 이해시키기 위해 잘 모르던 분야임에도 게임으로 비유를 막 시작하는데, 더 공감할 수 없어 걔가 했던 말을 그대로 따라 말하며 이해한 척했다.

그 애와 함께하는 시간이 쌓여갈수록, 내 삶 속에 그 애의 비중이 커질수록 마음 한편에 자리한 소망이 점점 비대해져 갔다. 단순히 친구로만 지내기 아쉽다는 그런 소망. 함께하든 그렇지 못하든 점차 커져만 가는 소망. 언제 어디서라도 끊임없이 내 눈앞에 재생되는 추억들에 그 애가 있었다. 행복하였고 마음이 충만해지는 나날들이었다. 다만 그날의 행복이 나에게 있어 너무나 귀해 더 이상 그 어떤 행동도 취하지 못했다. 그 소중함이 지금까지도 강렬하고 선명하기에 나는 그 어떤 문장이라도 쉬이 적어내지 못하겠다. 마음이 앞서나가 거짓 비유로 아무렇게나 거들먹거리며 내 추억을 더럽히는 행위가 가당키나 할까. 그 자체만으로도 아름다운 내 추억들에 아무 미사여구나 덧붙이는 것이 가당키나 할까. 내가 알고 있고, 찾아냈던 그 어떤 미사여구와 비유들도 내 추억과는 어울리지도, 그 아름다움을 온전한 형태로 나타내주지 못한다.

　나는 나를 동정한다. 그날의 소심했던 어린 나와 현재의 소심하게 구는 나. '나'를 이해하기에 나는 나를 동정한다. 그 애가 그런 내게 어떤 의미인지를 알고 있기에, 단어 하나를 사용하더라도 그 영향을 조심스러워하며 읽히는 호흡마저 고려한다. 나의 글이 읽히고 그 의미가 재해석될 때, 나의 미숙한 문재(文才)에 의해 이 추억이 변색 될 수도 있다는 사실이 참 끔찍하게 다가온다.

첫사랑은 이렇게나 서글픈 것인가. 그 애의 환한 미소가 떠오르면 마음이 긁혀나가듯이 아려온다. 네가 이리도 선명한데 나는 왜 아직도 제자리에만 머무는 것일까. 그 애에게 있어 나는 유일한 친구는 아니었지만, 나에겐 유일한 그녀였다. 서로의 경중이 달랐다는 사실이, 내가 그녀에게 그렇게까지 소중한 존재가 아닐 수도 있다는 불안감이 있었다. 그렇게 나조차 알아차리지 못하게 언젠가부터 접혀 있던 나의 소망. 동시에 언제부턴가 나의 소망을 알고 있던 그녀. 다만 그 애의 배려 덕분에 우리의 관계는 친구로나마 남아 있을 수 있었다. 고등학교를 졸업하자마자 그 친구는 기숙학원에 들어가 재수를 준비하고 있다. 연락이 잘 안 되는 점이 아쉽지만, 그녀의 꿈을 응원하기에 견뎌본다.

그녀가 좋아하던 노래에 이런 구절이 있다.
"좋은 바람 다시 불어오면, 웃으며 이 노랠 부르자."

나의 모든 언어와 문장으로도 설명 불가능한 그녀에게 좋은 바람이 불어오기를.

어린 나의 꿈같은 사랑이 우리의 악몽이 되지 않기를.

나는 그저 소망할 뿐이다.

나는 다시 창백한 여백이 가득 찬 모니터 앞에 앉아 글을 적어본다. 또한, 나는 써 내려간 글들을 역행하며 지워가고, 다시 써 내려간다. 이 추억을 온전한 형태로 세상에 드러내기 위해. 그녀를 나의 글로 표현하기 위해. 그 검은 긴 생머리를, 건강미가 느껴지는 피부를, 온화한 눈빛의 두 눈을, 오뚝한 코와 환히 웃어주던 그 미소를, 지난 3년이 녹아든 아득한 햇살을.

"우리는 어쩌면 모두 인연이 아닐까요."

사람을 사랑했다

신혜원

사랑과 사람의 발음이 비슷하다는 우연,
너와 나의 발음도 비슷하다는 우연.
이것들을 우연이라고만 해도 될까요.
인연이라고 해야 하지 않을까요.

우리는 어쩌면 모두 인연이 아닐까요.

사랑, 사랑이라, 세상에는 여러 종류의 사랑이 있겠다만, 사
람 자체에 대한 사랑을 가지려면
꽤 운이 좋아야 한다고 생각한다.

만일 이런 사랑을 하다 짝사랑이 된다면, 그건 아마 제일 아
픈 사랑이 될 테니.

나는 사람을 사랑했다. 그게 누구냐고? 그냥 사람 그 자체

말이다. 세상을 사랑했고, 사람들을 사랑했다. 모두를 사랑할 수 있을 것 같이 행동했다. 나는 이미 중요한 사람이 아니었다. 다른 사람들의 눈에 들고 싶었고, 그들이 좋으면 나도 좋았다. 사기도(그 어린 날들에 애들에게 속아서 빼앗긴 것들도 사기라고 할 수 있다면) 많이 당하고, 놀림도 많이 당했지만 그럼에도 내가 그들을 바보같이 사랑하기에 괜찮았다. 그 마음이 영원할 수 있을 줄 알았다. 지금 생각해도 만약 그때 한 사람이라도 내 사랑을 받아 줬더라면 그건 영원했을 것이다.

그러나 나는 끝까지 거절당했다. 세상에 거절당한 기분, 아무도 나를 사랑해주지 않는 기분을 몇 번이고 느끼게 되었다. 그런 상황 속에서 나는 어떻게 행동해야 했을까? 만약 당신이, 누군가를 사랑했는데, 그 사람이 몇 번이고 당신을 받아주지 않는다면 어떻게 하겠는가. 정상적인 사람이라면 처음엔 더 잘해주고 최대한 맞춰줘서라도 애쓸 것이다. 나도 그랬다. 더 배려하고, 더 맞춰줬다. 과할 정도로, 나라는 존재가 사라질 정도로. 그러나 그러면 그럴수록 그들은 나를 더 호구로 여길 뿐이었다. 조금도 경계심이 없었으니 이용하기도 좋았을 거겠지-라고 지금의 나는 예상하고 있다. 그렇다고 내가 이상한 사람이라 그랬냐 하면 그것도 아녔던 것 같다. 중학교 때 우연히 들은 이유는 그저 조용하고 못 생겨서 그랬다고. 어릴 적에 철없이 놀리기 딱 좋은 사람이었다는 이유만으로 내 사랑은 받아들여지지 못하고 미움받았다.

그렇다면 한 번 더 묻겠다. 그렇게 애써도 그가 당신을 싫어하면 어떻게 할 것인가? 정상적인 사람이라면 아마도 포기하고 자리를 떠나겠지. 당연히 나도 그랬다. 더 이상 사람을 사랑하지 않기로 했다. 아니, 그걸 넘어서서 아예 믿지 않게 되었다. 사람들의 눈빛이 좋다며 바라보던 눈은 더 이상 그들을 향하지 못했고, 어떤 일이 있어도 아무에게나 활달하게 다가가던 사람은 더 이상 어디에도 없었다. 그렇다고 드디어 나를 바라봐줬느냐 하면 그것도 아니다. 과해진 경계는 나조차도 믿지 못했다. 사람들은 바보 같고, 나는 또 얼마나 바보 같은가. 그런 생각으로 고등학교를 졸업했다.

대학교에 와서도 그 생각은 계속되었지만, 다행스럽게도 고등학교 때는 소꿉친구와 함께 다닐 수 있었기에 조금이나마 새로운 사람들에 대한 기대감이라도 생긴 참이었다. 대학교에는 이유 없이 사람을 미워하는 사람들이 없었다. 뭐, 내가 아직도 철이 없어 잘 모르는 걸지도 모르겠지만, 적어도 내 주변엔 없었다. 여전히 그런 괴로움을 겪는 사람이 있다면 작은 사과를 표한다. 무난한 친구들과 좋은 선배들. 그 속에서 차차 나는 정상화되어갔다. 정상화 되면서 느낀 것은 내가 나를 정말 사랑하지 못했구나 하는 후회였다. 빛만 바라보는 사람 뒤에는 그림자가 생기기 마련이다. 그러나 나는 그 그림자를 온전히 쐬면서도 빛만 따라갔고, 결국 내가 그림자가 되어버렸구나. 이제야 겨우 깊은숨을 쉰다.

지금의 친구들과 함께하며 나는 내가 정말 과한 배려를 하고 있음을 깨달았다. 맞추지 않아도 좋아해 줘? 나를 생각해줘? 왜? 나는 너희에게 이득이 될 것이 더 이상 남아 있지 않은데? 그런 의심을 가지고 있던 나도 시간이 지나며 차차 이를 받아들일 수 있게 되었다. 아직도 나는 부족하고, 누군가를 챙기기보단 나조차도 잘 챙기지 못하는 사람이지만, 그럼에도 나는 나구나. 아직 나는 사랑받을 가치가 있었구나 싶다.

이제야 나는 다시 세상을 사랑하고, 사람들을 사랑한다. 그러나 달라진 것은, 그 세상 속에 내가 포함되어 있다는 점이다. 나를 배제하고는 남을 사랑할 수 없다. 그 마음을 토대로, 다시 한번 사람을 향한 사랑을 쌓아가보려 한다. 나는 아직도 처음 본 사람들에게 잘 다가가지 못한다. 사람들의 눈을 잘 쳐다보지 못하고, 그런 바람에 얼굴도 이름도 잘 기억하지 못한다. 그러나 이제는 내게 믿음이란 것이 생겼다. 진짜 내가 챙기고 사랑해야 할 사람들이라면 그런 부족함조차도 받아들여 줄 수 있음을, 함께 고쳐나갈 수 있다는 것을.

"결국 많은 무게가 다르더라도 처음부터 끝까지
우리가 배우는 감정은 사랑이니까."

처음부터 끝까지 사랑

안병호

우리는 언제부터 사랑했을까? 또 우리가 느끼는 모든 사랑이란 감정은 항상 같았을까? 시간이 지날수록 나는 사랑이 복잡해지고 어려워졌던 감정이라고 생각한다. 남을 의식하며, 내 감정을 숨기며, 여러 다른 사랑을 알아가며. 사랑은 점점 어려운 감정이 되는 것이다. 시간이 지날수록, 여러 가지 감정을 배울수록, 가장 처음에 존재했던 사랑이라는 감정은 그 무게를 더해간다. 우리의 사랑은 어떨까? 지금 우리는 얼마나 많은 수식언을 사랑이라는 감정에 달아두었을까?

사랑이라는 표현을 처음 배우는 것은 사람마다 다르겠지만. 그러한 감정을 처음 배우는 것은 모두가 비슷하리라 생각한다. 유년기. 부모님에게 사랑을 받으며, 부모님을 필요로 하며 우리는 가장 먼저 사랑이라는 감정을 배운다. 부모님이 주는 사랑을 받으며, 또한 부모님을 사랑하며 우리는 사랑을 배운다. 아마 그때의 감정은 온전한 사랑이 아닌 그저 자신에게 이익이 되는 존재. 그 존재를 향한 필요의 감정일 수 있다. 또는 부모님이 사랑한다고 하니까 자신도 사랑한다고 생각하는 것일 수도 있다. 그럼에도 우리는 가장 먼저 부모님께 사랑을 배운다. 이때 우리는 처음 사랑한다.

　유치원, 어린이집, 어디든 좋다. 자라나며 처음 친구가 생길 것이다. 처음으로 우정이라는 감정을 알고, 처음으로 보는 또래들을 사랑한다. 함께 놀고, 함께 이야기꽃을 피우며 친구들과의 우애를 배운다. 또한, 선생님이라는 부모님과는 다른 어른을 처음으로 사랑할 수 있다. 아마 존경심은 배우지 못하겠지만 그럼에도 선생님이라는 존재를 사랑할 것이다. 이때 우리는 처음 가족이 아닌 타인을 사랑하는 것을 배운다.

　타인을 사랑하는 것을 배우며 자연히 타인에게 사랑받는 것 또한 배우게 된다. 맹목적인 사랑과 믿음을 주던 부모님과는 다르게 처음으로 타인에게 사랑을 받아내게 된다. 그러면서 우리는 타인의 시선을 신경 쓰게 되고, 타인의 감정을 신경 쓰게 된다. 처음으로 '눈치'라는 것을 보는 것이다. 그러면서 부끄러움과 질투, 시기, 미움 등등 타인에게 또는 타인을 생각하는 여러 감정을 느끼고, 받아내고, 드러내게 된다. 이때부터 사랑하는데 타인이라는 조건이 생기는 것이다.

초등학교. 유치원, 어린이집과는 다른 첫 공동체 생활이다. 우리는 이미 여러 감정을 배우고 여러 감정을 주고받았지만 아마 이때쯤 배울 것이다. 이성을 향한 사랑을. 물론 유년기 시절부터 이러한 감정을 느끼고, 배웠을 수도 있겠지만. 모두가 어린아이였던 유년기와 다르게 초등학교에 들어서고 우리는 성숙함이라는 것을 배우게 된다. 그러면서 자연히 타인이 아닌 이성을 인식하기 시작하고 이성에 대한 사랑을 배우는 것이다. 또한, 그러한 자신의 이성을 향한 사랑을 드러내는 데에 있어 부끄러움을 배우기도 한다. 이때부터 사랑은 드러내기 힘든 감정이 되는 것이다.

중학교. 부모님의 품을 떠나 더 먼 곳을 바라보며 처음으로 자신의 미래를 생각하는 시기다. 우리는 자신의 미래를 직접 생각한다는 감정에 빠져 타인의 조언들을 방해로 느끼기도 한다. 질풍노도. 자신을 더욱 우선해서 생각하는 시기인 것이다. 자연스럽게 자신에게 참견하지 않는 친구를 더욱 우선하게 되고, 연인을 더욱 우선하게 된다. 또한, 자신에게 더욱 극진한 시기인 것이다. 우리는 꾸미는 것을 배우고, 자신을 가꾸는 것을 배운다. 더 다양한 사람을 보고, 더 다양한 것을 좋아한다. 이때부터 사랑할 것이 많아진다.

  고등학교. 조금은 많이 성숙해진 걸지도 모른다. 우리는 어느새 감정을 절제하는 법을 배웠다. 감사를, 사과를, 호감과 비호감을 표시하는 빈도가 줄었다. 자신의 감정을 숨기고 타인의 감정을 찾아내려 애쓴다. 그렇게 사회인이 될 준비를 하는 것이다. 또한, 이 시기에는 우린 가장 먼저 미래를 결정한다. 이젠 아무 조건 없이 사랑하지 못하는 것이다. 도움이 되어야 한다. 혹은 자랑거리가 된다. 이때부터 우리의 사랑은 불순물이 섞인다.

  대학교. 이제는 성인이 되어버린 우리는 여전히 사랑한다. 이성을, 가족을, 친구를. 다양한 사람들을 여전히 우리는 사랑하지만, 그 무게는 처음과는 조금 다를 수 있다. 조건이 달리고, 드러내기 어려워지고, 다양한 것을 사랑하며, 조금은 순수하지 못한 사랑일지라도 우리는 여전히 사랑한다. 여전히 조금 서툴고 조금은 어렵더라도 우리는 사랑을 한다. 앞으로도 우리의 사랑에 많은 조건이, 수식이 달릴지도 모른다. 그럼에도 결국 우리는 다시 사랑할 것이다. 처음 배웠던 그 감정을 우리는 계속 느낄 것이다. 결국, 많은 무게가 달리더라도 처음부터 끝까지 우리가 배우는 감정은 사랑이니까.

"내 눈물이 마르길 원하지만,
그때가 오면 당신을 더 이상 사랑하지 않는 것일 테니까
나는 계속 울기로 하겠습니다."

눈물이 마를 땐 사랑도 끝난 것

안소이현

그대와 함께 있을 적에 나는 어여뻤습니다. 동그란 길 속에 갇힌 호수의 윤슬처럼요. 당신은 그 호수를 보고도 예쁜 줄 모르겠다고 했습니다. 우리는 이어폰 두 짝을 나눠 끼고는 뜨거운 햇볕에 살이 타는 줄도 모르고 계속 걸었습니다. 시원한 그늘 아래 멈추어 붉게 그을린 서로의 팔을 보고는 까르르 웃기도 했지요. 아무리 더워도 꾹꾹 눌러 쓴 당신의 모자가 우스꽝스러웠습니다. 그 모자에 땀이 차 젖어가도 나는 당신이 좋았습니다.

내게 사랑이란 흙 속에 덮인 작은 씨앗.

고개를 빼꼼히 들고 나를 맞아줄 그날만을 나는 기다리고 있습니다. 때로는 흙이 두꺼워 뚫고 나오지 못하는 걸까 걱정도 하고요. 날씨가 좋으면 이 해가 당신에게 닿겠다는 생각에 설레기도 하지요. 언제쯤 나타날까. 멍하니 앉아 작은 발아만을 기다리고 있는 나는 그래요, 당신을 사랑하고 있습니다. 함께 뒷동산에 올랐던 그 날을 기억하십니까. 밤공기를 쐬러 나가는 날이면, 칠흑 같은 어둠이 내려앉은 정자의 등불을 끄고 오라며 장난치던 당신을 기억합니다. 혼자서는 무섭지만, 당신과 함께라면 암암한 정자의 불 하나쯤은 후- 불고 올 수 있겠다고 생각했지요.

내가 기억하는 당신은 거센 줄기 한 줄기. 강한 해에도, 거센 바람에도 수그러들지 않는 어깨와 눈동자를 가진 사나이. 가끔 잎 하나씩 떨구며 보였던 옅은 미소는 씁쓸한 진액. 당신의 무늬에는 발 많이 달린 지네가 꿈틀대다 멈추어 있었지요. 어린 곁순이 떨어지며 남긴 자국에 박혀버린 화살은 당신에겐 겨우 점 하나였습니다. 자세히 보니 심장을 관통하고 있더군요. 그래도 당신은 아픈 줄 몰랐습니다. 따가운 볕 아래에서도, 먹색의 짙은 구름이 차오른 하늘 아래에서도 당신은 움직이는 법을 몰랐습니다. 뿌리를 내리다 못해 바닥을 뚫어버린 화분 속에서요. 그 한 줄기 당신이 안쓰러웠습니다. 비가 오는 날이면 열에 한 번쯤은 나라는 잎으로 피할 법도 한데, 내게 구멍을 내는 게 싫다며 그리도 세차게 내리는 비를 맞고만 있었습니다. 그래

눈물이 마를 땐 사랑도 끝난 것

요, 나는 당신의 양분을 빼앗아 자랐습니다. 꽃봉오리도 맺어 보고, 열매도 떨궜겠지요.

　시월의 끝자락이었습니다. 꽃잎은 툭툭 사그라들고, 모두가 말라비틀어질 준비를 하고 있었습니다. 나를 밝히던 조명들은 어느새 마지막 점등의 순간만을 남긴 채 꺼져갔습니다.

　그날 내가 봤던 당신은, 생기를 아주 잃은 나무토막 한 토막. 평생을 믿는 도끼에 갈라지기만 해왔던 굵은 나무 밑동. 절단의 그 순간 누군가에게라도 찔리려 허공에 몸을 던진 나무 가시 한 가시. 당신이 뿌리 내려왔던 화분은 이미 두 동강 난 지 오래였습니다. 그 안에는 억척스럽고 비대한 뿌리들이 얽히고 설켜 있었습니다. 어쩌면 나도 그중 하나였겠지요. 깨져버린 화분을 마주한 당신의 얼굴은 붉으락푸르락 넘실댔고, 나의 눈앞에는 코끝이 알싸하리만큼 짙은 초록빛 나팔의 향연이 펼쳐졌습니다. 흩날리던 잿빛 같은 얼굴이 내게 뭐라고 소리쳤습니다. 내 몸은 굳고 또 굳어서 그 자리에 가만히 서 있기만 했습니다. 날카롭게 깨진 단면에 힘겹게 발을 걸치고 있던 나는 때로 당신을 모른 척 외면하기도 했습니다. 그렇게 박차고 나온 문 뒤에서 나는 아주 오래 울었습니다.

눈물이 마를 땐 사랑도 끝난 것이라 하였습니다. 자려고 누우면 작은 나의 이슬은 이 순간만을 기다려 왔다는 듯 내 귀로 주룩주룩 흘렀습니다. 채 세 평도 되지 않는 꽃무늬 벽지로 둘러싸인 방 한가운데에 누워 몸서리치기도 했지요. 원망 섞인 당신의 눈빛을 떠올릴 때면 나는 그대로 다시 굳어버렸습니다. 그 위에서 눈물은 어느 곳에도 흡수되지 못한 채 기다란 자국으로 남아 눌어붙었습니다. 아침에 눈을 뜨면, 시들었던 줄기가 다시 흙에 묻힌 작은 씨앗이 되기를 바랐던 내게 시간은 참 속절없었습니다.

영원히 울겠습니다.

긴 긴 밤을 설치다 결국 천장의 꽃무늬 하나에 대답했습니다. 그렇게 나는 영원히 울기로 했습니다. 내 눈물조차 그치면 당신은 아주 메말라 버릴 테니까요. 사실 나는 그만 울고 싶었습니다. 그만 나약해지고 싶었습니다. 그만 우울해하고 싶었습니다. 우울을 즐긴다는 건 애초에 성립할 수 없는 문장이었습니다. 내 눈물이 마르길 원하지만, 그때가 오면 당신을 더 이상 사랑하지 않는 것일 테니까 나는 계속 울기로 하겠습니다.

나에게도 그러한 당신이 있었습니다. 다정한 당신, 강인한 당신, 나를 응원하는 당신. 우리가 함께 누워 책을 읽었던 피라미드 공원, 발에 맞지 않는 신을 신고 두 시간이나 헤맸던 길, 손이 큰 당신의 요리, 당신이 좋아하던 스콜피온스의 올드 팝. 하루의 끝자락에 걸터앉아 재잘대는 나를 바라보던 따뜻한 눈빛, 중요한 일이 있는 날이면 내게 해줬던 마법 주문, 당당하게, 자신 있게, 자기표현 잘하기. 언제나 사랑한다고 말하며 안기던 내게 당신은 이렇게 답하곤 했지요. 나는 환장합니다—.

　내가 기억하는 당신은 이제 여린 줄기 한 줄기. 두려움에 주저하던 수화기 너머에서 숨죽여 울고 있는 작은 싹 하나. 내게 그랬던 것처럼, 이제는 당신의 귓속으로 이슬방울이 넘실넘실 춤을 추고 있습니다. 내 마음은 언제 그랬냐는 듯 쏘아진 분무기를 타고 허공으로 날아간 지 오래입니다. 이제 나는 당신께 어떠한 양분도, 그늘도, 해도 줄 수 없겠지요. 그리도 허망한 고통 속에서 나는 당신을 흙 속에 덮어버렸습니다. 해가 뜨고 다시 지는 동안 당신이 떠올랐지만, 그때마다 나는 애써 모른 척 도망갔습니다. 사랑한다는 말이 이제는 뱉기 어려워졌습니다.

그러나 내 사랑은 살아있습니다. 그리고 당신도, 살아계십니다. 죽지 않을 겁니다. 그래서, 나는 당신을 사랑합니다. 이전과는 다른 이름의 사랑을 합니다. 내게 물을 달라는 말은 하지 않겠습니다. 한창의 새벽, 당신과 닮은 빛깔의 이불 위에 흐르던 눈물을 나는 모으고 모았으니까요. 미처 흐르지 못한 것들은 휴지에 적셔 두거나 누렇게 바래진 종이 위의 글씨에도 담아 두었지요. 당신이 언제든 물을 달라고 하시면 나는 그 물을 꽉 짜서 흘려줄 거예요. 이미 비틀어져 더 이상 짜낼 수 없을 때도요.

눈물이 마를 땐 사랑도 끝난 것이라 하였습니다. 나는 그래서 영원히 울겠다고 다짐했습니다. 그러나 내가 사랑에 줄 수 있는 물은 눈물뿐이 아닌 줄 알았습니다. 비 온 뒤 맺힌 이슬로, 뜨거운 수증기로, 지난겨울 차갑게 얼어붙었다가 힘겹게 녹고 있는 얼음으로 당신을 촉촉이 하겠습니다. 만약 그럴 수 없다면 나는 당신이 내게 준 원망으로도, 아픈 말로도, 어린 기억들로도 눈물을 쏟아내겠습니다. 그러니 부디 살아주세요. 어떤 화분에서도, 어떤 흙에서도요. 지지대는 되어주지 못해도, 계절이 변하기 전 찾아오는 냄새 같은 바람이 되겠습니다.

"안온이 우스워진 세기에
우리 사랑만큼은 무료한 밤이었으면"

밤이 참 길어

유경지

잘 자요, 내 침대에서 잠든 사람. [*]

나는 자주 잠을 설친다. 이른 새벽에도 늦은 아침에도 툭하면 깨기 일쑤다. 언젠가 엄마가 내 머리를 쓰다듬어 주었고, 쪽잠 자던 독서실에서는 친구가 담요를 어깨에 둘러주었고, 이제는 당신이 내 머리맡에 사랑 한 움큼 두고 간다. 그럼에도 쉬이 고쳐지지 않는 불면이 오면, 그런 밤이 오면 나는 습관처럼 당신 이름을 한참 곱씹는다. 모난 곳 없이 혀 사이로 흐르는 바람결. 천천히 멀리 가는 흐름. 가만 눈 감고 파도치듯 흘러가는 사랑. 잠들지 못하는 밤이 이리도 다정한지 나는 당신 만나고서야 처음 알았다.

새벽이면 주로 당신 생각을 하지. 내 꿈에는 매일 같이 억센 바람이 몰아치는데, 당신 꿈에는 무엇이 나올지 궁금해하는 시

[*] 이도우, 『날씨가 좋으면 찾아가겠어요』, 시공사, 2020.

간이 느리게 간다. 때때로 마른하늘에 눈 오고 꽃 핀 들판에 어린 나 나오고 그럴까.

꿈에서 보자는 말은 참 웃긴 것 같아. 잠들지 못하는 밤마다 꿈꾸지 않기를 간절히 바라는 내게 내 꿈 꾸라는 말은 웃음이 절로 나지 않을 수 없는 말이다. 내가 당신 사랑하면서 무엇보다 바라는 건 꿈꾸지 않고 안온한 밤 그거 하나뿐인데도, 어떤 밤에는 당신 꿈에 내가 나왔으면 한다. 거기서 우리는 들판을 달리고 있을까. 바다를 거꾸로 가로질러 가고 있을까. 달이 서쪽에서 뜨지도 몰라. 온통 불면뿐인 내 밤과는 다른 것들이 그곳에서 넘실거릴 것만 같다.

꿈꾸지 말라는 말보다 사랑을 돌려 말할 수 있을까. 엄마는 내가 악몽을 꿀 때마다 괜찮을 거라 다독였다. 건강한 사람은 꿈꾸지 않는 날이 꿈꾸는 날보다 많다는데, 어찌 된 게 나는 잘 잤다고 생각하는 날에도 한참을 꿈속에서 헤매고 다닌다. 아침마다 땀범벅이 된 나를 다독이던 엄마와 얼굴이 희게 질려 깨어난 내게 단 음료 하나 건네던 친구. 그리고 존재만으로도 괜찮으리라 다짐하게 되는 당신까지.

아침마다 내게 묻는 당신이 있어 즐겁다는 말을 했던가. 잠들지 못하는 만큼 한 번 잠들면 쉬이 깨질 않아 걱정하면서도, 그 걱정은 어디 두고 온 건지 말간 얼굴로 내게 잘 잤냐 물어주는 사람이 있다. 꿈속에서 누굴 만났든, 얼마나 긴 밤이었든 당신 말 한마디에 괜찮아지는 내가 우습기도 해. 되묻는 나의 말에 말이 길어지는 모습마저도 아끼게 된다.

언젠가 당신 곁에서 아침을 맞을까. 그렇다면 내 밤은 안온할까? 안온이 우스워진 세기에 우리 사랑만큼은 무료한 밤이었으면 한다. 이번 세기에 당신을 만나 다행이라 생각해. 그래, 이것 말고 또 사랑이 어디 있겠어. 또 어디서 당신이란 밤을 만날 수 있겠어. 내게 사랑은 당신이고, 곧 슬픔 없는 밤이라 읽힌다.

잠들지 못해 시를 쓴 적이 있다. *밤이 참 길어.* 그 말을 한참이나 곱씹었고 얼마 가지 않아 당신을 만났다. 밤이 길어 슬퍼하던 내게 당신이 왔다. 밤이 길어도 괜찮아졌다. 먼저 잠든 당신 생각을 하기에 길고 긴 시간 없이는 힘들지. 당신도 그럴까 조심스레 묻는다.

무서운 영화를 잘 봐 아쉽다던 당신에게 말하지 않은 사실이 있다면, 내게 가장 무서운 건 매일 밤 날 괴롭히는 꿈이었다. 출구 없는 흰 건물 속에서 숨 쉬지 못한 채 한참을 떠도는 그 악몽을 겨우 견디고 깨어나면 얼굴은 눈물범벅이다. 그것에 비하면 우리가 봤던 무서운 영화는 아무것도 아니지. 어쩌면 그곳에 당신이 없었기에 무서웠을지도 모른다. 그러니 굳이 꿈을 꿔야 한다면 당신이 나오는 꿈이면 좋겠어. 차라리 당신과 함께 하는 미로였으면 좋겠어. 슬픈 꿈도, 지독한 꿈도 모두 당신과 함께라면 아무렇지 않아진다.

있지, 당신은 꿈꾸지 마. 내가 대신 괴로울 테니 어떤 것도 당신의 밤을 괴롭히지 않았으면 한다. 내 사랑은 당신 밤이 무료하길 바라는 것이고, 우리 사랑은 내 밤을 잠재우니까. 소란스러운 꿈은 내 주특기이다.

내 밤과 사랑에 관한 이야기는 여기까지이다. 당신이 즐겨 부르는 노래 가사처럼 내가 바랄 수 있는 건 다정한 밤뿐인 무력함에 대한 자조적인 독백 혹은 이 기회를 빌려 숨겨둔 마음을 고백하는 편지라고 할 수 있겠지. 당신이 읽을 수 있어 다행이라고 생각해. 내 밤의 동반자가 되어주어 사랑한다는 말을 직접 하기에 나는 아직 두려운 것이 많다. 따뜻한 밤이 조금만 더 늘어지면 그땐 직접 말할 수 있기를 바라며, 방황할 뿐인 이야기를 끝까지 들어준 그대에게도 감사를 표한다.

만약 그대 밤이 참 길어 슬프다면, 지독한 꿈속에서 길 잃은 채 떠돌고 있다면, 이 무정한 세기 어딘가 그대의 무료한 밤을 기도하는 어떤 이가 있으리라 믿으란 말을 해주고 싶어 불쑥 그대에게 말을 걸었다. 괜찮다. 그대의 밤이 길어도, 내 밤이 길어도 누군가 우리를 사랑하고 있다. 사랑 없이도 될 것처럼 구는 지금에도 기도하는 이 있다. 혼자가 아닌 슬픈 밤, 더는 슬프지 않을 밤. 바람과 밤이 닮아있는 건 우연이 아닐 테지. 사랑하는 모든 이들이 다정을 바라고 있으니 말이다.
그러니 오늘 밤은 꿈꾸지 말고 푹 자길. 긴긴밤 어딘가 사랑이 함께하길. 말했지 않은가. 소란스러운 꿈은 내가 가져갈 것이라고. 누군가 기도하고 있다고.

사랑을 덧붙인다. 좋은 꿈 꾸라는 말을 함께 보낸다. 함께 해주어 고맙다는 인사도 당연히. 그대와 당신, 나까지 오늘은 굿나잇. 좋은 밤. 어떤 말도 아깝지 않다.

그리고, 추신.

그래도 가끔 당신이 내 꿈을 꿨으면 해. 그래서 행복했으면
해. 그리고 바랐으면 해. 늘어지는 말처럼 늘어지는 밤에 내 생
각하기를.

"너의 모든 것을 사랑해!
나는 너를 너무나도 잘 알고 있어! 사랑해!"

너의 환상을 사랑했구나

윤지원

'너의 모든 것을 사랑해! 나는 너를 너무나도 잘 알고 있어! 사랑해!'

아 얼마나 오만하고 멍청한 말인지

2023. 9. 15.
사랑 1

안녕하세요! 저는 당신을 좋아하는 학생이에요. 좋아하게 된 이후 처음으로 이렇게 편지 같은 걸 써 보네요! 사실 이 편지를 쓰기까지 많은 용기가 필요했어요. 원래 글을 그렇게 자주 쓰는 편도 아니고 잘 쓰지도 않고… 성격도 무뚝뚝한 편이라, 쓸 수 있을지 한참 고민했었거든요. 그래서 조금 서툴러도 이해해 달라는 말을 하고 싶었어요.

저는 며칠 전 당신을 처음 봤어요. 그날은 왠지 모르게 평소와는 다른 걸 하고 싶었던 날이었어요. 원래라면 하지 않았던 일을 했던 날, 당신을 처음으로 '인식'하게 되었고 그렇게 좋아하는 감정이 생겼어요. 좀 뻔한 말로 들릴지 모르겠지만… 너무 멋있었거든요! '뭐든지 잘하고, 활발하고, 솔직한' 당신.

그때 이후로 계속 생각났어요. 학교에 가든 학원을 가든 공부가 손에 잡히지 않았어요. 짝사랑이란 단어는 제게 있어 존재하지 않는 단어였는데. 어쩌죠? 저 당신을 많이 좋아하는 것 같아요. 개인적으로 '사랑' 같은 낯간지러운 걸 전혀 좋아하지 않아서 이런 말은 아무한테도 한 적 없었는데.

그냥 이 오글거리는 말을 어디에 하기도 좀 그래서 이렇게 편지로나마 적어봐요. 사실 전달하지도 않을 편지니까, 이 말을 당신에게 직접 한다고 해도 절대로 이뤄질 수 없는 그런 사랑이라는 걸 아니까 그냥 앞으로 제가 하고 싶은 말을 적어보려고 해요. 일기 느낌으로… 그래도 당신이 직접 읽어본다고 생각하고 정성껏 써 볼게요.

또 쓸게요!

내 마음속 환상의 시작이었다.

너의 환상을 사랑했구나

2023. 9. 26.

사랑 2

　당신이 힘들어하던 일을 말끔하게 털어내고 다시 일어섰다는 이야기를 전해 들었어요. 당신은 어렸을 때부터 많은 상처를 몸과 마음에 달고 살았죠. 최근에는 그 상처가 더욱 깊어져 당신이 그동안 쌓아 올린 모든 것을 파괴하고 있었다는 점도 알고 있어요. 사람들은 뒤에서 당신이 더이상 일어나기 힘들 거라고 수군댔어요. 그러나 당신은 보란 듯이 일어섰어요. 전혀 개의치 않고 끈기 있고 당당하게, 더 강해져서… 너무 축하해요! 얘기를 듣고 속에서 뭐가 끓어오르는 것처럼 행복했어요. 기쁘네요, 정말로.

　그런 당신을, 당신의 모습을 여전히 좋아하고 있어요. 사실 저는 살면서 저 자신을 뭐든지 금방 싫증을 내 버리는 그런 끈기 없는 사람이라고 정의해 왔기에 이렇게 감정이 식지 않고 그대로일 줄은 예상하지 못했어요. 이런 새로운 감정이 조금은 당황스럽기도 하지만 싫지는 않네요. 나도 이런 면이 있었구나 싶고요. 당신이 나에게 좋은 영향을 많이 주는 것 같아 고마운 마음이 커지네요.

또 쓸게요.

2023. 11. 10.
사랑 3

너무 오랜만이죠. 미안해요. 거의 2개월 동안 편지를 쓰지 못한 것에 대한 변명 아닌 변명을 해 보자면… 사실 일주일 후에 제 인생에 있어서 가장 중요한 날이 찾아오거든요. 그것에 대한 걱정이 너무나도 커서 내내 사랑이라는 감정을 억누르고 살았네요. 그래서, 그래서 못 썼어요. 다시 한번 미안하다는 말을 하고 싶어요.

그래도 최근 당신이 계속 좋은 성적을 내고 있다는 소식을 듣고 용기를 얻었어요. 몸도 전부 회복하고 인생 최고의 시간을 보내고 있는 당신의 모습을 본받아 나도 조금만 더, 마지막까지 끈기 있게, 끝난 게 끝난 것이 아니니까 힘을 내야겠다는 생각을 했어요. 내가 그 모습을, 그 환희에 찬 눈빛을 직접 보았다면 얼마나 좋았을까? 라는 망상도 하면서요. 여전한 짝사랑이라는 감정은 제가 당신에게 절대 품을 수 없는 조금 수치스러운 감정만을 안겨주네요. 하지만 제 인생에서 가장 중요한

너의 환상을 사랑했구나

일을 앞두고 이렇게 힘을 준 당신에게 고마워요, 그리고 좋아
해요.

　또 쓸게요.

　동경과 환상 속 착각의 바다에 빠져 버린 내가 있었다.

　2023. 11. 16.
　사랑 4

　끝났어요. 드디어. 제 인생에서 가장 중요했던 일이 끝이 났
어요. 이제 당신을 더 많이 보러
　갈 수 있어요. 기대되네요. 곧 봐요.
　또 쓸게요.

　2023. 11. 27.
　사랑 5

　당신을 실제로 본 건 오늘이 처음이네요. 아, 너무 행복했어
요. 실수 없는 완벽한 경기를 바로 내 눈앞에서 볼 수 있다니,

저는 정말 운이 좋은 사람이에요!

앞으로도 더 자주 볼 수 있었으면 좋겠어요.

또 쓸게요!!

2023. 12. 3.

사랑 6

아,

올해 들어 처음 나온 실수. 제 눈앞에서 보여줬던 표정이 아직도 눈에 선해요. 괜찮은 거죠? 물론 당신에게는 일상이겠지만 저 같은 사람에게는 세상이 무너지는 일이에요. 물론 '언제나 당당하고 의연한, 활발한' 당신이라면 금방 털고 일어날 것이라고 확신하기에 큰 걱정은 하지 않으려고 노력 중이에요.

제발 제발 아무 일 없기를, 더 이상의 상처는 없길 바라며.

착각과 연민의 시작. 주제넘었다.

2023. 12. 10.

사랑 7

너의 환상을 사랑했구나

괜찮았던 게 아니었나 봐요. 똑같은 실수. 똑같은 상황.

그래도 조금이나마 위안이 되는 부분은 그런 실수가 있었음에도 절대 무너지지 않았다는 점, 반대로 전혀 위안이 되지 않는 부분은 완벽히 나았다고 생각했던 상처가 다시 덧났다는 점이겠죠. 그래요, 당신의 부상이 다시 도지는 것을 실시간으로 보는 제 마음은 어땠겠어요?

그래도 제 감정은 그저 '언제나 의연하고 유쾌한' 당신을 믿으라고만 말하고 있기에 전 믿고 기다리려고 해요. 당신이 다시 나아질 때까지. 당신이 더이상 아프지 않을 때까지. 내 좋아한다는, 사랑한다는 감정이 당신에게 조금이라도 전해져 위안이 되기를. 또 쓸게요.

위안 같은 건 존재하지 않았다.

2024. 1. 6.
사랑 8

오늘도 당신을 보러 갔어요. 조금이라도 호전되어 있었으면 좋겠다는 간절한 마음을 가지고 갔어요. 그러나 당신은 여전히 그대로네요. 제 기도가 통하지 않았던 걸까요. 아 제발, 제발 제가 좋아하는, 사랑하는 사람이 아프지 않았으면 좋겠어요. 더 이상 힘들지 않았으면 좋겠어요. 누구라도 좀 들어주시면 안 될까요? 이제는 짝사랑이라는 감정도 감정이지만 그저 당신이 행복했으면 좋겠어. 왜 이렇게 '멋있는' 사람이 힘들어야만 하나요. 너무 불공평하지 않나요.

내가 왜 당신의 행복을 빌어주었던 걸까?

2024. 1. 31.
사랑 9

다행이라는 말 밖에는 나오지 않아요. 부상은 여전해 보이는 당신이지만 드디어, 드디어 똑같은 실수를 깼어요. 얼마나 행복했는지 당신은 아마 모를 거야. 역시 앞으로도 당신을 믿고 기다려야겠어요. '언제나 당당하고 의연한' 당신이라면 금방 털어낼 줄 알았어요. 그것이 '제가 너무 잘 알고 있는 사랑하는 당신의 모습'이니까.

또 쓸게요!

'내가 사랑하는 모습'은 존재하지 않았다. 적어도 현실에는 없었다.

절대 존재하지 않았다.

2024. 2. 26.
10

아 정말 왜 그랬을까 왜 그랬을까?

오직 너를 보려고, 너에게 직접 쓴 편지를 전해주려고 여기까지 왔는데

왜 너는 나를 그런 눈빛으로 봤을까

나는 너의 인생 속 무슨 특별한 존재가 되고 싶었던 게 아니야 그저 너를 좋아하는 한 팬일 뿐이야 지금까지 내가 너를 직접 마주 보고 대한 적이 한 번이라도 있었니

너에게 조금이라도 피해를 준 적이 단 한 번이라도 있었니? 그런데 너는 편지를 전해주려는 나의 얼굴을 한 번도 제대로 쳐다보지도 않고 그저 사이비 종교 전도사의 홍보물을 보는 것처럼 내 편지를 향해 손을 내저었을까 많이 바빠서? 아니면 그

냥 귀찮아서?

　아니 사실 왜 그랬을까는 이제 중요하지 않아

　내가 알던 너는 사실 없는 사람이구나

　end.

　0

　아, 나는 너의 환상, 내 착각을 사랑했구나

　'너의 모든 것을 사랑해! 나는 너를 너무나도 잘 알고 있어!

사랑해!'

　아 얼마나 오만하고 멍청한 말인지

"네가 나의 시작이자 끝이다."

눈길

이소정

나는 그저 너를 바라봤을 뿐인데. 첫눈에 들어온 것은.

내 옆을 스쳐 지나가는 너를, 나는 몇 번이고 붙잡아두었다. 너의 눈동자를, 너의 뒷모습을. 너를 다시 마주 봤을 때, 나는 너를 한눈에 알아볼 수 있었다. 무엇 하나 제대로 알지 못했다. 너의 이름까지도. 내가 알던 이름과 달랐기에. 나는 그저 너의 눈동자를 마주할 뿐. 그것은 유일하게 다르지 않았기에.

너의 이름을 알게 되고. 사근사근한 너의 목소리를 알게 되고. 웃을 때마다 사르르 붉어지는 너의 두 뺨을 알게 되고, 알게 되고.

또, 망설임 없는 나를 알게 되고. 말이 많아지는 나를 알게 되고. 미소 짓고 있는 나를 알게 되고, 알게 되고.

비가 올 때면, 나는 너의 투명 우산으로 들어가서 너의 옆에 섰다. 거침없이. 너의 발걸음을 따라 움직인다. 비록 빙- 돌아가고 있었지만, 멀어지고 있었지만. 나는 아무 말 없이 너의 보폭에 맞추어 걸어갔다. 나는 너를 올려다보았다. 축축해진 한쪽 어깨를 보며, 발갛게 물든 목덜미를 보며, 나는 그저 웃어 보였다.

책을 펼칠 때면, 나는 너의 책 모퉁이에 끄적끄적 글씨를 쓰기 시작했다.

'집 가고 싶다.'

그럼 너도 삐뚤빼뚤 글씨를 쓴다.

'나도.'

우리는 서로를 마주 보며 숨죽여 웃었다. 너의 글씨 밑에 조그마한 그림을 그릴 때면, 너는 입술을 앙다물고 내 그림을 따라 그리기 시작했다. 나는 무색할 정도로 쉽게 소리 내어 웃어버렸다.

한번은 네가 나에게 수줍게 텅 빈 샤프심 통을 내밀었다. 너의 눈가에는 장난스러움이 잔뜩 묻어져 있었다. 나는 그 작고 푸르른 샤프심 통을 손바닥 위에 놓고 물끄러미 쳐다보았다. 다시 돌려줄까, 그 텅 빈 샤프심 통을 너에게 내밀다가도 또, 그 마저도 사라질까, 나는 그 텅 빈 샤프심 통을 도로 가져와 손에 꼬옥 쥐었다.

언젠가 내게 말했다.

'네가 말 걸어주는 게 좋아.'

너는 모른다. 나는 오늘도 어김없이 핸드폰을 만지작거리며 질문을 찾아다녔다는 것을. 나는 지구가 멸망하기 하루 전날로 오기도 하고, 어느새 무인도에 혼자 남겨지기도 한다. 그렇게 몇 번이나 내던졌을까. 몇 번이나 죽음을 맞이했을까.

분명한 것은, 그 끝에는 항상 네가 있었다.

네가 나의 시작이자 끝이다.

나의 눈동자 끝에는, 나의 기억 끝에는, 나의 끝에는. 그 끝에
는 항상 네가 있었다.

나는 결국 너의 마지막을 보겠지. 우리의 마지막을 마주하겠
지. 저 차갑고 습한 땅속으로 전부 스며들 때까지, 내 몸에 남아
있는 온기가 완전히 꺼질 때까지, 이 기약 없는 기다림의 끝자
락에서 아슬아슬하게 서 있다가 흔적도 없이 사라지겠지. 사라
지고 있다는 것. 그마저도 알지 못한 채로, 그렇게 사라지겠지.
나도, 그리고 너도.

우리는 서서히 지워지겠지만, 그 투명색 우산은 여전히 남아
있겠지. 우리가 나눴던 대화들은 그 책 속에 여전히 남아 있겠
지. 그 작은 샤프심 통은 여전히 푸르게 빛나고 있겠지. 그 자리
그대로 남아 있겠지.

그렇게 우리는 무참히 지워지겠지만, 그 비좁은 투명색 우산
사이에 서 있던 우리는 남아 있겠지. 서로의 글씨가 마구 뒤엉

킨 채 환하게 웃고 있는 우리는 남아 있겠지. 또, 장난스럽게 샤프심 통을 주고받는 우리는 남아 있겠지. 그 자리 그대로 남아 있겠지.

나는 너의 뒷모습을 오랫동안 바라보고 싶다. 너를 잃지 않도록 또, 나를 잃지 않도록. 그리고 우리를 잃지 않도록.

내 끝에 서 있는 게 너였으면 한다. 나는 너를 마지막까지 담고 싶다.

"우리는 이제 암호가 있고 교차점이 있다."

녹색의 반쪽과 다섯 갈래의 색깔

장서이

그 아이들은 내 몇 년의 근간이었어요. 내 사고도, 내 언어도, 내 취향이나 솔직함, 전부. 질릴 정도로 내 몇 년은 그 아이들과 꾸린 것이었습니다. 좋았어요. 좋음 그 이상으로 좋았어요. 낯부끄러워 올곧은 문장으로 뱉은 적은 없지만⋯. (침묵) 사실 우습다고 생각하실 수도 있지만, 만난 지 얼마 되지 않았습니다. 온전히 다섯 명이서 논 건 해봤자 5년 정도 되었을 거예요. 그래도 그 5년 내내 저는 무력할 틈 하나 없이 행복했어요. 정말입니다.

누군가가 내 사랑에 대해 물어본다면 난 앞으로 이렇게 답할 것을 약속한다.

본래 네 개의 색깔이 있었다. 그저 나를 제외하고 각자 좋아하는 색이 있었는데 그게 너무 확연히 달랐다. 빨간색, 파란색, 연두색, 보라색이 있는데 그사이에 어울리는 건 명백히 노랑이어서 난 그렇게 됐다. 그전까지만 해도 좋아하는 색이라는 건 크게 없었다. 부끄럽다는 이유로-당시에 그걸 좋아하면 꼭 공주님 이미지를 가져가는 커다란 수치 같은 일이라고 연연했다-분홍색을 싫어한 적이 있다면 모를까. 나는 차츰 노랑이었다. 그렇게 내 삶에 그 밝은 색감이 스미게 된 건 5년 전부터였다. 그렇게 다섯은 완벽해졌다. 색감에서도 관계에서도.

서로에게 정체성을 부여하는 건 재미있었다. 유치하다고 생각하기엔 너무 늦었고 오히려 우리 사이에서 핵이 되었다. 우리는 이제 암호가 있고 교차점이 있다. 눈만 마주쳐도 팍 전류가 튀어 꺄르르 웃게 되는 녹색의 반쪽이 있다. 우습게 잘린 단면을 싫어할 이는 적어도 우리 다섯 중에 없다.

처음에는 내가 친구를 하자고 청했고 이젠 적당히 다들 친해졌으니 전부 같이 놀자고 했다. 다섯은 끔찍하게 불편한 숫자인데도 말이다. 걸을 때도 둘이 적당하지 셋은 많다. 보드게임의 최대 수용 인원에 턱턱 걸리는 것도 일상다반사다. 그럼에도 다섯 명이라서 남은 녹색의 반쪽을-사실 어쩌면 빨강이고 갈색이고 흰색일 수도 있는 그것을-더 빠르게 찾을 수 있겠지.

늘 생각해 왔다. 그놈의 사랑이 도대체 뭔지. 미안하지만 죄다 이상했다. 그렇게까지 할 이유가 없는데 굳이 그렇게 했다. 굳이, 괜히. 난 그걸 보면서 의문만 거듭해서 머리에 그렸다. 드라마에서 본 것이 대부분이니 그런 거겠지 싶었는데, 조금 더 커서 알게 된 것은 그게 드라마만 그렇다는 게 아니라는 것이다였다. 날이 지나도 매듭이 지어지기는커녕 곡선이 굽이치며 영겁의 물음표를 생성했다. 물론 해답을 찾으려면 몇 번의 밤을 지새워보고 몇 번의 낮에 해를 쥐어야 하겠지만. 내가 보는 사랑을 하는 사람들은 어땠냐면 아무 이유도 없이 전화를 걸고 (그러면서 만날 수줍게 웃었다) 뛰고(왜?) 사랑하는 이를 위해 싸우고(진정하고 얘기했으면) 질투하고(참 끝도 없이) 언제나 생각한다(자기 직전까지). 조금 이상했다. 사실 겁도 먹었다. 사랑에 빠진 나도 저렇게 될 것 같아서 살짝 두려웠다. 사랑은 신기루. 나에겐 조금 이질적인 영역이라고. 그렇게만 생각했다. 어딘가를 넘은, 동떨어진 차원 같았다. 내 x는 타인에게 y였고 내 y는 타인에게 z 정도 되었다. 하지만 아이러니하게도 나는 그 사람들과 동일한 영혼을 가졌다.

그들처럼 내 사랑의 증명은 내 전신에서 온다. 나는 내 친구들과 관련된 일에서 아무 이유도 없이 전화를 걸고(그냥 그러고 싶으니까) 뛰고(지금 당장 같이 있으면 훨씬 더 좋을 것 같으니까) 사랑하는 이를 위해서 싸우고(내 친구보다 저 사람이 잘못했다) 질투하고(나랑 노는 게 더 재미있을 거라고 확신한다) 언제나 생각한다(질리도록 생각한다). 버스 세 정거장이면 성큼 도착하는 거리인데도 아스팔트에 발 질질 끌어가며 오거리 넘어서까지 같이 가는 비효율의 극치. 무슨 이야기를 했는지 기억도 나지 않는데 웃음의 결은 아직 내 방안을 떠돈다. 내가 사랑하는 옷을 기꺼이 입혀준다. 조각내어 나누는 소소한 로맨틱을 사랑한다. 같은 공간에서 잠들어도 헤어지기 아쉬워 다시 만남을 염원한다. 그 염원이 이뤄지는 순간이 제일 좋다. 편선지 위에서 펜촉이 구른다. 나는 그 아이들을 위해서 편지지를 고르고 볼펜을 노크하고 아무거나 골라도 되는 스티커 중에서 꼭 고심하고 고심하고 고심해서 작은 것 하나를 떼어내고. 편지지에는 꼭 나의 밀도 있는 깊음을 담아낸다. 마지막에 쓸 친구가 되어줘서 고마워 너랑 더 오래 잘 지내고 싶어 그 속내를 포장하기 위해 줄글을 적는다. 내가 좋아하는 것들, 내가 경험한 것들. 작거나 큰 헛소리들을. 내가 교향곡을 얼마나 좋아했었는지 얼마나 나태한 날들을 보내버렸는지. 고백도 고해성사도 전부 그리고 기꺼이 이해하고 알고 있을 아이들이라고 생각해서. 전부 적는다. 서로가 서로에게 구축해 준 말 맺음을 부끄러워하지 않아서 슬그머니 적는 사랑 고백. 내 사랑의 증명은 내 전신에서 온다.

그 어떠한 사랑도 내 우정과 같은 형태로 성형되지 않는다. 나에게 우정은 사랑의 최종장. 연애를 물으면 머뭇거리다 얼버무려 웃는 나는 우정을 물으면 열변을 토하는 나와 연결되어 있어서. 갈래로 뿌리로 줄기로 뻗은 사랑이란 단어에서 내가 붙잡은 하나의.

"문득 너에게 사랑한다는 말을
많이 해주지 못한 것 같아서
마음에 걸리네."

보내고서야 아는 것

장서현

기억나? 우리가 처음 만났던 그 공원 말이야. 날씨가 조금 흐려서 살짝 쌀쌀했던 그날. 너는 꽤 낯가림이 심한 아이여서 나를 살짝 경계하는 눈치였어. 그러나 그것도 잠시, 너는 금방 경계를 풀고 내 품에 안겨주었어. 그 후로 우리는 함께 생활하게 됐어. 집에 온 첫날 너는 잘 적응하는가 싶더니 새벽에 토를 했었지. 친숙하던 전 보호자와 떨어져 낯선 공간, 낯선 사람에게 둘러싸여 겁에 질려 있었을 네 마음을 몰라준 거 같아 미안한 마음이 들었어. 그래도 네가 첫날 이후로 금방 적응을 해주어서 얼마나 안심했는지 몰라. 길에서 지냈던 경험 때문인지 먹을 것을 무지 좋아하던 너는 밥을 주면 허겁지겁 순식간에 해치워 버리고는 했었지. 매번 너무 급하게 먹느라 밥이 목에 걸려 캑캑거리는 너를 볼 때면 길거리 생활이 얼마나 고되었으면 이리도 급하게 먹을까 싶어 안쓰러웠어.

어느새 나는 너에게 푹 빠져버렸지만 그건 단지 네가 귀여워서라고 생각했어. 뭘 하더라도 넌 귀여우니까 괜찮아. 원래 귀여움은 무적이고 정의니까.

　너는 장마가 시작될 무렵 나에게 왔었지. 밖에 나가 노는 것을 무척 좋아하던 너였기에 비가 오는 날에도 너와 함께 나가야만 했어. 비를 맞으면 너는 무조건 목욕을 해야 했기에 고민하던 차에 전 보호자께서 주신 패딩이 떠올랐어. 나와 언니는 하는 수 없이 너에게 여름에 패딩을 입히고 산책을 나갔어. 그래도 비가 와서 많이 덥지는 않았을 거고, 목욕을 하는 것보다는 나을 거라 생각은 했지만 역시 미안한 마음이 드는 건 어쩔 수 없었지. 산책을 다니다 보면 다른 강아지들을 만나는 경우도 많았어. 그때마다 네가 너무 과격하게 반응하는 바람에 어쩔 수 없이 최대한 다른 강아지들을 피해 다녀야만 했지. 그 행동이 사실 반가움의 표현이라는 걸 너무 늦게 깨달았네. 조금 일찍 알았더라면 너의 친구들을 많이 만들어줬을 텐데.

　너의 털이 꽤 많이 자라서 미용실을 보내야하나 고민하던 차에 언니가 셀프미용을 하겠다며 어디선가 미용가위와 이발기를 들고 왔었어. 그러고는 당당하게 네 털을 가위로 자르기 시작했어. 그 결과는 처참했지. 너의 털은 무슨 계단식 논처럼 층이 생겨 울퉁불퉁해져 버렸어. 나는 아직도 그날의 언니를 뜯어말리지 못한 것을 후회하는 중이야. 꼬질한 털과 동그란 눈을 땡그랗게 뜨고 있는 너를 볼 때마다 너무 억울하고 불쌍해 보여서 웃음이 나고는 했었지.

비가 억수같이 쏟아지고 천둥번개가 치던 어느 날 밤, 반쯤 열려있던 내 방문을 너는 비집고 들어와 공부 중이었던 내 곁에 앉아 끙끙거렸었지. 뭐가 불편한가 싶어 너에게 손을 대자 떨림이 느껴졌어. 알고 보니 너는 천둥소리에 놀라 내게 온 거였어. 나는 그런 너를 꼭 안아주며 괜찮다고 달래주었지. 그날 이후로 너는 항상 내 방에 들어와 잠자리에 들었어. 너는 잠꼬대를 참 다양하게 하는 아이였어. 코를 골기도 하고, 낑낑 소리를 내고, 발을 마구 휘적거리기도 하고, 그때마다 내가 몸을 한 번 쓸어주면 넌 다시 편안하게 잠들었지.

너는 안아 드는 것을 싫어해서 안기만 하면 물 밖으로 나온 물고기처럼 열심히 파닥거렸지. 엘리베이터나, 위험한 도로를 지나야 할 때는 파닥거리는 무거운 널 안고 움직이는 것이 쉽지 않았어. 남들은 작아 보인다고 하지만 너의 무게는 9kg이었으니까. 그래도 너를 안고 있으면 마음이 편안해져서 행복했어. 내가 힘들어 보이면 넌 옆에 앉아있었고 난 그런 너를 끌어안고는 했어. 안는 걸 싫어하는 너였지만 그때만큼은 얌전히 내 품에 안겨 있어 주었지.

그렇게 너와 함께 시간을 보낸 지 세 달이 지났을 무렵, 너의 해외 입양이 결정되었어. 너무나 갑작스럽게 너와의 이별이 다가와 버린 거야. 해외 입양이었기에 방역 때문에 준비해야 할 것들이 많았어. 관련된 주사를 맞아야 해서 병원을 자주 데리고 다녀야 했어. 주사를 맞으며 낑낑거리는 너를 볼 때마다 마음이 아팠어. 우리 가족은 뒤늦게 널 입양하려고 했지만 이미 해외 입양이 확정된 상태라 널 입양할 수 없었어. 고민만 하다가 널 놓쳐버린 거 같아 너무 괴로웠어. 천둥소리만 들으면 벌벌 떠는 네가 어떻게 14시간을 비행기에서 버틸 수 있을까. 거기서는 널 안아줄 수 있는 사람이 없는데. 실외 배변만 하는 네가 14시간을 잘 참을 수 있을까. 별의별 걱정이 꼬리에 꼬리를 물고 나를 괴롭혔어.

오지 않기를 바랐던 네가 떠나는 날, 나는 펑펑 울며 네게 말했어.

사랑해, 너무 사랑해.
미안해, 너무 늦게 결정해서 미안해.
고마워, 곁에 있어 줘서 고마워.
잘 지내, 가서는 꼭 그 누구보다 잘 지내.

그렇게 너는 떠나갔어. 저 멀리 미국으로. 네가 떠난 뒤, 네 소식은 끊겨버렸어. 나는 그저 더 좋은 사람을 만나 넓은 마당에서 자유롭게 뛰어놀고 있을 거라고 믿을 뿐이야. 사실 나 너 떠나보내고 한동안 많이 우울했다? 집을 돌아다닐 때 나는 발톱 소리, 옆에서 나던 너의 잠꼬대 소리가 없다는 사실이 나를 슬프게 하더라. 그때 알았어. 나는 너를 좋아한 게 아니라는 걸. 아니 정확하게 말하면 널 귀여워서 좋아했지만, 시간이 지날수록 너를 사랑하게 됐다고. 좋아하는 것에는 이유가 있지만, 사랑하는 것에는 이유가 없다는걸.

걸을 때마다 나비처럼 팔랑거리는 귀, 뒤뚱거리는 토실토실한 엉덩이, 짧뚱한 다리, 민들레 홀씨처럼 부드러운 꼬리를 가진 너의 모습. 처음 왔을 때의 너는 기본적인 훈련이 되어있지 않았던 너. '앉아', '손', '코', '브이'를 가르치는 건 성공했지만 간식이 없으면 들은 척도 하지 않았고 '엎드려'는 장렬히 실패했던 일. 나를 보며 짓던 사랑스러운 미소. 힘들었던 너의 목욕. 네가 내게 나눠준 모든 시간은 정말로 잊을 수 없을 정도로 너무 행복했어. 문득 너에게 사랑한다는 말을 많이 해주지 못한 것 같아서 마음에 걸리네. 이렇게 일찍 이별할 줄 알았다면 더 많이 사랑한다고 해줄걸. 왜 보내고서야 알았을까. 지금은 내 곁에 없는 너에게 해주고 싶은 그 말.

"내가 널 버렸다고 생각하지 말아줬으면 좋겠어. 아니, 그렇게 생각해도 좋으니까 부디 힘들었던 과거는 다 잊고 좋은 사람 만나서 사랑받으며 그 누구보다 행복해줘. 너무너무 사랑해. 우리 루이."

"민낯의 마음이 나를 순수하게 만들었다."

나의 영원한 구심점

정서현

나의 사랑

'도화지의 첫 장을 시작하는 31에게
수채화 물통이라도 채워주고 싶은 13이'

사랑을 말하는 문장 중 '사랑은 눈으로 보인다.' 라는 문장을
가장 좋아한다. 형태가 없는 사랑은 이런 문장으로 읽히고 어
떤 눈빛으로 보인다.

이런 마음과 사실들이 모여 사랑이란 걸 어렵지 않게 느낄
수 있다. 사랑이 눈으로 보인다고 믿는 나에게 13은 가장 예쁜
것만 보여주었다.

도화지의 첫 장을 새로 시작하는 사람에게 물통에 물이라도
채워주고 싶은 마음. 그 사람이 물통의 물을 신경 쓰지 않고 자

신만의 그림을 자유롭게 그려나갔으면 하는 마음. 13만이 가지고 있는 모습을 모두 '예쁜 마음'이라고 묶어서 부르니 너무 아쉬울 지경이다. 그 민낯의 마음이 나를 순수하게 만들었다. 순수해진 옅은 하늘색을 띤 나의 마음이 꽤 마음에 들었다. "아…. 이래서 사랑은 영혼의 온도가 맞는 사람과 해야 하는구나." 발걸음이 비슷한 사람과 사랑을 해야 같은 시선으로 풍경을 바라보며 행복할 수 있다.

사랑은 영원을 믿지 않는 나에게 영원에 가까운 확신을 하게 한 가장 큰 이유라 말할 수 있다.

너의 사랑

사랑 얘기를 공개적인 곳에 쓰는 걸 별로 좋아하지 않는다. 물론 써본 적도 없지만 말이다. 나만의 그 사람을 위해 만든 나만의 사랑, 나만의 단어, 나만의 표현을 남들에게 보여주고 싶지 않다.

사랑을 떠올리면 그 사람이 생각난다. 그 사람이 떠오르면 그 사람에게 주고 싶은 말들이 떠오른다. 오직 그 사람만을 위해 생각해 낸 표현들이 머릿속을 맴돈다. 머릿속을 맴돌다 이내 아껴두고 묵혀뒀던 표현들이 쏟아져 나온다. 그 사람에게만 주고 싶어서 아껴뒀다.

사랑을 생각하면 마구 쏟아져 나오는 표현들을 체로 거른다. 그 사람에게만 주고 싶은 소중한 표현들은 약간의 푸른빛이 도는 투명한 유리병 속에 모은다. 바깥세상의 공기를 맡을 상투적인 표현들은 체에 남아있을 것이다.

유리병 속에 표현들이 모이고 있다. 그 표현 중 몇 개를 고른다. 그리고 가장 아끼는 미색 편지지 위에, 손에 익은 몽당연필로 한 글자 한 글자 적어 내려간 다음, 그 사람이 좋아하는 바다 같은 푸른색을 띤 봉투 안에 넣어둔다.

마지막 작업을 할 차례다. 체를 바라본다. 그런데 체에 남은 것이 없다. 이제야 나는 확신한다. 아, 나의 사랑은 그 사람만을 위한 것이 맞았구나.

이 작업을 끝내기 전, 그 사람을 5년 동안 좋아하면서 수많은 고뇌의 날들이 있었다. 수없이 고민했다. 수없이 잊으려 했다. 수없이 부정하려 했다. 이토록 오랫동안 사랑의 감정이 남아있는 건 나의 사랑이 사랑이 아니고 그저 결핍이기 때문에 그렇지 않을까. 사랑이 아니라 그저 자신에게 없는 것을 갈망하는 보편적인 감정이었던 거다. 거의 확신을 내렸다. 슬펐다. 내 감정은 보편적인 것이 아니길 바라왔었는데. 그런 수준의 감정이 아니길 바라왔었는데. 내 감정은 항상 진실된 것이라고 믿어왔었는데. 모든 걸 부정당한 기분이었다.

내 감정이 보편적인 것이 아님을 확신한 지금은 조금 다른 생각을 한다. 사랑이 뭔지에 대한 생각 같은 것들. 예쁜 걸 보면 보여주고 싶고, 맛있는 걸 보면 갖다 주고 싶고, 아프면 한도 끝도 없이 걱정되고, 그 사람이 지나갔던 길만 걸어도 좋고, 들렸던 장소만 가도 좋고, 그 사람을 못 만나도 집 앞에 왔다만 가도 좋고, 사고 싶다는 건 전부 다 사주고 싶고, 이름을 부르기만 해도 다이어리에 적기만 해도 가슴이 뭉클해지고. 이런 것들이 사랑이 아닐까 싶다.

사랑은 그냥 순수한 것만으로도 사랑이라 부를 수 있는지, 무거운 것들까지 있어야 사랑이라 부를 수 있는지는 모르겠다. 어느 정도를 사랑으로 봐야 하는지에 대한 이야기는 차치해 두자. 우리가 기억해야 할 것은, 사랑하는 이에게 그저 순수한 마음으로 베푸는 것이 사랑이라는 것. 아무런 보답도 바라지 않고 아낌없이 주는 것이 사랑이라는 것. 그리고 사랑한다는 마음만으로는 안된다는 것. 노력이 필요하다는 것.

아무리 유리병을 꽉 막아두어도 사랑이라는 단어만 들어도 자꾸만 흘러나오는 그들을 가라앉히기 어려웠다. 사랑이라는 단어만 들어도 그 사람이 떠오르는 나 자신을 억제하기는 쉽지 않았다. 그들은 다른 공간에서 날려 보내줄 것을 약속하며.

언젠가 그들 모두가 31에게 도착하는 날이 오기를.

"비록 30ml 지거에서 넘친 15ml의 술은
바닥으로 떨어지는 셈이지만,
그 넘쳐흘러 바닥으로 추락하는 15ml의 알코올에도
나름의 의미가 있지 않을까 생각하게 된다."

J에게

정선우

0.

그날 저에게 전화를 걸어준 J에게 이 글을 바칩니다.

1.

글을 시작하기 전에 말해두어야 할 사실이 있다. 사랑이라는 감정에 대해서, 나는 그것과 그다지 친숙한 편이 아니다. '사랑이라는 감정을 다루기에 나는 아직 너무나 어리지 않나?' 라는 생각이 머리에 맴도는 것도 있지만 아무래도 주된 이유는 역시 사랑이라는 감정에 근본적으로 적대심 비스무리한 감정이 있기 때문이리라. 그래서 내가 생각하고 표현할 수 있는 사랑에는 근본적으로 한계가 존재한다. 그것은 마치 30mL짜리 지거에 45mL짜리 위스키를 담으려고 하는 것과 크게 다르지 않다. 술이 넘치듯이 내가 표현하려고 하는 사랑 역시 글에서 넘쳐나 바닥으로 떨어진다.

아, 이렇게 생각하니 좀 많이 아까운데.

아무튼, 내가 누군가에게 사랑을 글과 같은 무언가로서 표현하는 방식은 간단하다. 내가 보여주고자 하는 것을 내가 생각하는 가장 이상적이고 미적인 방식을 통해서 보여준다. 그것이 핵심이다. 그리고 그렇게 표현된 사랑이 어떻냐면… 정말 기이하게도 폭력적이고 유혈이 낭자하며, 합리적이지 않고 본능적인 것에 가까운 원초적이고 파괴적인 무언가다. 그리고 이게 나에게 있어서 가장 미적인 사랑의 근본적인 형태이다. 이렇게 사랑을 표현하는 이유는 나에게 있어서 사랑과 파괴는 엎어지면 코 닿을 거리에 위치해 있기 때문이다. 사랑이 결여된 마음에 무언가를 채워 넣는 것이라면 그 무언가를 가져온 것에서는 다시 결여가 발생한다. 그리고 그 결여는 또 다른 갈등을 낳고, 그 갈등은 또다시…

(…더는 무리수니까 여기까지만 하자.)

각설하고, 나 역시 이런 사랑을 표현하는 방식에 대해서 그동안 쭉 불만을 가져왔었다. 어째서 나는 평범한 사랑을 써낼

J에게

수 없는 것인지, 스스로도 머리가 지끈거릴 정도로 아파서 그 이상으로 생각하는 것은 한참 동안 그만뒀었다. 그러나 그것과 별개로 이 문제 자체는 나에게 있어서 꽤나 골칫거리였다. 고등학교 3학년 때 글을 쓰는 대회가 있었는데, 주제가 사랑이었고, 그 당시에 그것을 주제로 내가 써서 제출한 글은 엉성하다 못해 이상한 글이었다. 쓰지 못하니, 억지로 쓰다가 그런 참사가 일어난 것이었다. 그때만 생각하면 참으로 기분이 아찔해진다. 그래서 나는 한동안 그냥 사랑에 대한 글을 쓰기를 피했다. 사랑에 대해서 글을 쓰지 못하는 글쓰기 좋아하는 사람이라니, 스스로도 모순적이라는 생각을 품었지만, 그냥 참고 살아왔다.

그러나, 사람은 변화하는 동물이라는 말이 완전히 헛소리는 아닌 건지 나는 전화 한 통을 계기로 마음을 바꿔먹었다. 그날 나는 전화를 받기 직전에 길을 걷고 있었다. 정말 이유 없는 산책이었는데 굳이 그 산책에 특별한 의미를 부여한다면 그냥 그날따라 복잡해진 머릿속을 좀 비워낼 겸 해서 길이 무진장 걷고 싶었기 때문이다. 물론 이는 본인이 귀에 이어폰을 꽂은 채 집 주변을 어슬렁거리는 것을 좋아하기 때문이다. 아무 의미 없이 길을 걷는 것처럼 보여도 길을 걷는 것은 그 길을 온전히 이해하는 과정 중 하나이기 때문에, 길을 걷는다는 행위는 생각보다 생각 없이 행해도 즐거운 법이다. 머리를 비우고 그 길을 온전히 받아들이는 그런 것이라고 표현해야 하려나.

다만 나는 그날따라 평소보다 훨씬 길을 걷고 싶었음이 분명했다. 안 그러면 학교에 다녀와 지친 몸을 이끌고 밤 10시에 현관문을 열고 밖으로 나가지는 않았으리라, 심지어 그때가 7월 중순이라 날이 미친 듯이 더웠다. 그럼에도 나는 바깥으로 향했다. 그리고 평소처럼 은행 앞에서 아파트 단지 바깥쪽 길을 통해서 의미 없는 발걸음을 이어가려던 찰나 이어폰에서 전화벨 소리가 울렸다.

2.
"야야야야야야 뭐해?"

J의 목소리가 수화기의 너머에서 넘어왔다. 도대체 "야"라는 말을 왜 6번이나 한 것일까. 진심으로 궁금했지만, 그것을 굳이 입에 담지는 않았다. 성격이 안 좋아서 이런 부분에서 쓸데없이 꼬투리를 잡는 것이 나라는 인간이니까, 스스로 그냥 그러려니 하고 평소처럼 전화를 받았다. 길을 걷는다고 답하자 그는 살짝 실망한 목소리로 협곡 데이트나 하자고 징징거렸다.

'데이트'라는 말을 듣자마자 구역질 비스무리한 것이 올라올 것 같았기에 전화를 끊는다고 말하자 그는 불평을 멈췄다. 그리고 평소처럼 일상의 대화를 나누었다. J는 운동을 다녀왔으며, 학교에서 어떤 요리를 배우고 있는지 나에게 아주 상세하게 (굳이 알고 싶지 않은 부분까지) 털어놓았다. 나는 그것을 말없이 들으면서 그저 길을 걸었다. 그리고 거기까지는 평소와 비슷했다. 그 평소와 같은 일상의 대화에서 극적인 변화가 휘발하기까지는 얼마 걸리지 않았다. 눈에 마트가 서서히 보이기 시작할 무렵에 그는 나에게 정말 갑작스럽게 질문을 던졌다.

"야 씨X 사랑이 뭘까?"

그것은 대화의 맥락 따위 철저히 무시한 채로 나온 문장인지라, 나는 조금 전까지 내가 말하고 있었던 '언어의 정원'(2013)의 한 장면에 대해 말하던 것을 그만두면서 그에게 다시 뭔 개소리냐고 되물을 수밖에 없었다. 하지만 그는 내 질문에 대한 답은커녕 평소처럼 이상한 웃음소리를 내면서 나에게 되묻는 것이었다. "씨X 사랑이 뭘까? 사랑이." 그의 질문에 나는 그에게 '이놈이 실연이라도 당했나 왜 이래.'라고 묻고 싶

은 충동이 강하게 들었으나 이내 그만두었다. 왜냐하면, 적어
도 그때 당시의 J에게 여자친구라는 존재는 없기 때문이었다.
굳이 있지도 않은 것을 있냐고 물어봤자 의미가 없을 것이 분
명했기에 질문에 질문으로 답하는 것 대신 똑같은 헛소리로 질
문에 대한 답을 해주었다.

"내가 그걸 알면 너랑 통화하고 있겠냐."

그러자 내 말에 그는

"아 그건 그러네. 미안하다."라고 대답했다. 순간 전화를 굳
이 이어가야 하나 하는 고민이 짧게 뇌리를 스쳤지만 이내 나
는 한숨을 내쉬었다. 그리고 그게 왜 궁금한지 그에게 침착하
게 다시 물었다. 그러자 그의 대답은 더욱 가관이었다. "그냥."

그 말을 듣고 진심으로 전화를 끊고 싶었지만 억지로 참았
다. 오늘따라 이 친구가 술 좀 마시고 전화를 걸었나 싶었다. 거
기까지 생각하면서 나는 아파트 단지 안쪽으로 다시 들어섰다.
그리고 그에게 무슨 말을 해야 하나 잠시 고민했다. 저 멀리 집

이 다시 보이기 시작할 때쯤, J는 그냥 내 생각을 듣고 싶을 뿐이라며 덧붙였다. 그 말을 듣자 가라앉고 있었던 화가 확 완전히 가라앉으면서, 머리가 복잡해지기 시작했다. 분명히 머리를 비우려고 바깥으로 나온 것이었는데, 걸으면서 오히려 덤으로 혹 하나 더 붙이고 집으로 들어가게 생겼기에 나는 집을 지나쳐 30분 전에 걸었던 아파트 단지 바깥쪽으로 향하는 도로로 걸었다. 은행이 다시 보이기 시작하자, 수화기 너머의 그가 나에게 다시 물었다.

"그래서 네 생각은?"

취기가 풍기는 목소리가 더 들려오기 전에 전화를 끊었다. 나는 누군가의 고민을 잘 들어주는 성격이 아니다. 특히 그것이 그다지 의미가 없다면 더더욱 의미가 없다고 생각한다. 하지만 이것은 나에게 있어서 조금 (많이) 의미가 있는 질문이었기에 동네 한 바퀴를 더 돌면서 고민해보기로 했다. 이대로 집에 들어가면 머리가 더 난장판이 될 것이 분명했기에 계속 걷기로 다짐했다. 손목 위의 시곗바늘이 10시 반을 살짝 넘어가고 있었다.

Official髭男dism의 노래를 들으며 나는 30분 전 걸었던 길을 그대로 걸었다. 귓가에서 쉬지 않고 떠드는 J의 목소리가 없으니 확실히 같은 길이어도 느낌이 달랐다. 나는 다시 마트를 향해 걸으면서 고민에 잠겼다. '사랑이 무엇인가.' 사실, 이 질문에 대한 답은 굳이 고민할 것도 없었다. J는 순수하게 어떠한 의도도 없이 내 생각에 대해 질문했던 것이고, 그 질문에 대한 답은 내가 이 글을 시작할 때 말했던 그것 그대로였으니까. 그러나 뭐랄까. 나는 생각을 좀 바꿔보고 싶었다. 나 혼자 고민하는 것으로 해결이 되지 않는다면, 누군가의 질문에 대한 답을 하는 것으로 이 문제를 해결해보고자 하는 것이었다.

그러나 도무지 내 머릿속에 '사랑이 무엇인가?'에 대한 답은 떠오르지 않았다. '한 바퀴를 더 돌아야 하나.' 그런 생각도 머릿속에 들었지만, 시간이 꽤나 늦었기에 나는 다시 집으로 향해 걸었다. 그리고 엘리베이터에 오르기 전 J에게 다시 전화를 걸었다. 전화를 받자, 전보다 훨씬 혀가 꼬인 상태의 J가 나를 반갑게 맞이했다. 그가 한참 전에 내가 말하고 있던 '언어의 정원'에 대해서 그제야 대화를 이어가려고 하자, 나는 그냥 서둘러 그의 귀에 내 답을 쑤셔 박아 주었다. 그러자 J는 그 혀가 꼬인 목소리로 이상하게 웃으며 나에게 대답했다.

"아 그래 고맙다. 네 말이 맞아. 그런데 있잖아, 아까 그 영화에서 비가 오는 날에 낭만 넘치게 벤치에서 남주인공이랑…"

아까와 마찬가지로 취기가 풍기는 목소리가 더 들려오기 전에 전화를 끊었다.

3.

다음 날 그에게 다시 전화했을 때 그는 나에게 질문을 한 사실을 전혀 기억하지 못한다고 답했다. 그러나 그의 기분 나쁜 웃음을 듣자, 그가 정말로 기억을 하나도 하지 못하고 있을지에 대해서 자신에게 의문이 들었다. 하지만 그에게 굳이 더 캐묻지는 않았다. 진실이 어떻든 간에 J가 "기억이 안 난다."라고 답한 이상 J에게 어제의 내 질문은 존재하지 않는 것이었고, 없는 것에 대해서 있다고 주장하는 것만큼 의미 없는 짓이 없는 법이다.

'녹음을 해뒀어야 했는데.' 머릿속으로 그렇게 생각하다가 어제 내가 그에게 답한 것을 떠올렸다. 그 대답은 그냥 평소에 내가 생각하는 '사랑'에 대한 평범한 생각이었다. 그러나 평소에 부정하고 있던 사실을 누군가에게 말하고, 그게 비록 술김에 답한 것이긴 하지만 나름대로 맞다는 소리를 들으니 기분이 좀 나아졌다. 누군가에게 인정받는다는 사실은, 그것이 설사 빈말이라도 사람을 다르게 만드는 힘이 있는 것 같다고 새삼 느꼈다. 그렇다고 해서 내가 그날의 질문과 대답으로 사랑에 대한 가치관을 확실하게 정했냐고 한다면, 그것은 또 아니다. 여전히 나에게 사랑이라는 감정은 참으로 표현하기 어렵다. 그리고 내가 생각하는 사랑이 결코 정답에 가깝다고 생각하지도 않는다. 그냥 내가 생각하는 사랑은 결여와 정반대에 있지만 참으로 가까운 아이러니한 무언가에 가까우니까.

그럼에도 이러한 사랑 역시 충분히 하나의 사랑으로 인정받을 수 있을지 모른다는 생각이 들었다. 더 이상 피할 필요도, 내가 힘들다고 해서 고칠 필요도 없는 생각이다. 물론 나중에 언젠가는 이 생각 역시 경험과 순간의 감정에 따라서 변할지도 모른다. 하지만 결론적으로 지금 내가 정의하고 있는 사랑이 사랑에 대한 수많은 생각 중에 현재 떠올릴 수 있는 가장 정답에 가까운 생각이다. 적어도 나에게는 그렇다고 생각한다. 뭐 비록 30mL 지거에서 넘친 15mL의 술은 바닥으로 떨어지는 셈이지만, 그 넘쳐 흘러 바닥으로 추락하는 15mL의 알코올에도 나름의 의미가 있지 않을까 생각하게 된다. 의미 없어 보여도 사실 절대로 의미 없이 떨어지는 것은 아닌 셈이다. 그리고 여기까지 생각하자 기분이 후련해져서, 그날부터 나는 다시 사랑에 관해서 쓰기로 결심했다.

-1.

J는 여전히 잘 지내고 있다. 하지만 나는 그에게 술 마시고 다시는 전화하지 말라고 으름장을 놓은 상태이기에 그때처럼 맥락이 없고 이상하기 짝이 없는 대화를 그냥 다시 나눌 기회가 사라졌다. 언젠가 그와 술잔을 기울일 일이 있을지도 모르겠지만, 적어도 지금은 그러고 싶지 않다. 물론 그날 그와 나누려고 했던 '언어의 정원'에 대한 이야기는 언젠가 끝을 낼 셈이다. 그렇지만 뭐 J에게 감사는 해야겠지. 그래서 이 글을 통해서 그에게 아주 사소한 감사함을 전하려고 한다. 비록 술김에 한 전화이긴 하지만, 그의 전화 덕분에 사랑에 대해서 고민할 수 있었던 것은 사실이니까. 그래서 내가 하고 싶은 말은.

0.

그날 저에게 전화를 걸어준 J에게 이 글을 바칩니다.

"그래서 나도 내 삶의 색을
그리고 나를 그 자체로 사랑하기로 했다."

무엇보다

정하린

　나 자신을 사랑하는 게 그 무엇보다 어려웠던 시절이 있었다. 나를 있는 그대로 받아들이는 게 정말 싫었다. 남에겐 존재 자체로 소중하다며 있는 그대로의 모습을 응원해 주었는데, 나 자신에겐 그러지 못했다. 자꾸만 내가 나를 사랑해야 하는 이유와 조건을 따졌다. 사람들은 그냥 본인의 모습을 받아들이고 사랑하라 했지만, 내가 나를 사랑할 이유가 없어 납득 되지 않았다. 나는 늘 나 자신이 못나 보여서 끊임없이 미워했다. 다른 사람도 아니고 난데 왜 그렇게 조건을 따지고 사랑해야 할 마땅한 이유를 찾았는지 모르겠다.

　나는 나를 사랑하지 못해서 내 삶을 사랑하지도 못했다. 나로 시작해서 나로 끝나는 삶을 어떻게 사랑할 수 있느냐 말이다. 그저 버텨내는 삶의 연속이었던 그 당시의 하루하루는 아주 힘들었다. 특별히 하는 것도 없는데 숨 쉬고 있다는 것만으로도 벅찼던 시절이다. 나를 조여오는 수많은 것들의 근원이

대체 무엇이기에 숨조차도 편히 쉴 수 없게 만들었을까. 매일 주어진 것 안에서 감사하고 나를 사랑하려 했지만, 자꾸만 위를 쳐다보며 더 많은 것들을 갈구했다. 그럼 나는 이런 미련한 나 자신을 더욱 미워했다. 그래서 원하는 것들에 대한 갈망은 나를 향한 혐오로 변했고, 나를 위했던 시작은 나를 해하는 것으로 끝을 맺었다. 나를 사랑하지 못하니 조금이라도 미운 마음이 들면 끝도 없이 스스로 파고들며 상처를 냈다.

이 시절, 잠깐 사랑을 했었다. 하지만 그 사랑은 결코 오래가지 못했다. 어찌 보면 당연한 결과다. 내가 나를 사랑하지 않는데 어떻게 타인을 사랑할 수 있을까. 타인을 사랑한다 해도 그건 건강하지 못한 사랑이었을 거다. 내가 나를 아끼지 못하니 타인이 나를 아껴줘도 온전히 받아들이지 못했다. 내가 있고서 상대가 있어야 하는데, 나는 없고 상대만 있었다. 나와 내 삶은 바라보지 못하고 멍청하게 상대만 해바라기처럼 바라봤다. 어찌나 부담스러웠을지 상상도 하기 싫다. 그 사람도 내가 나를 사랑하지 못했단 사실을 알았을 거다. 자신을 사랑하지 못하는 사람은 정말 매력이 없다. 웃프지만 그 당시 내 모습이 그랬다. 나중에서야 알았지만, 이 사랑의 실패 요인은 '나 자신을 사랑하지 않아서' 인 듯하다. 나를 사랑하지 않아도 남을 사랑할 수 있을 줄 알았는데 그건 아니었나 보다.

또한, 내 삶을 살아가려니 내가 '나'를 알아야 했다. 그래서 나는 어떤 사람인지, 내가 좋아하는 것들, 내가 하고 싶은 일, 내가 추구하는 삶 등을 하나씩 생각해 보기 시작했다. 평소 습관대로 펜을 잡고 생각나는 대로 마구 써 내려갔다. 다 써놓고 보니, 나는 내가 봐도 나약하고 멘탈이 지극히 약한 사람이었다. 세상과 타인의 시선에 예민하게 반응하며 내 삶을 온전히 살아가지 못했다. 이런 내가 참 싫었지만 우선 받아들이기로 했다. 어떤 모습이건 결국 나인데, 영원히 부정하며 외면할 수는 없었다. 내가 나를 알지 못하면, 사랑하지 못하면 타인과 세상이 나를 평가하는 대로 가만히 두게 된다. 나도 날 모르니 무엇이 맞고 틀렸는지 모르는 거다.

그렇게 나라는 사람을 알아가며 글과 책을 가까이했다. 생각이 많아 머리가 터질 것 같을 때마다 글을 썼고, 해결되지 않는 문제가 있으면 책에서 그 답을 찾았다. 글을 쓰면서 '진짜 나'를 정면으로 맞닥뜨렸다. 아무도 보지 않으니 정말 솔직한 내 생각을, 누구에게 보여주기 부끄러울 정도의 속마음들을 편히 털어놓았다. 이는 단순히 생각 정리가 될 뿐만 아니라, 내가 어떤 사람인지 적나라하게 보여주었다. 주관적으로 적힌 생각들을 멀리서 바라보며 나를 객관화했다. 이러한 행위를 며칠, 몇 주, 몇 달, 몇 년을 반복하다 보니 세상 누구보다 나를 잘 알게 되었다. 어느 상황에서도 나의 행복을 찾고, 나를 지키며 나를 사랑할 줄 아는 사람이 됐다. 살아가다 종종 이게 맞는지 의문이 들면 책을 꺼내 들었다. 그럼 책은 언제나 세상에 틀린 건 없고 그저 다른 거라고 알려주었다. 그래서 나도 내 삶의 색을, 그리고 나를 그 자체로 사랑하기로 했다.

　나는 이제 나를 안다. 나를 사랑하는 게 무엇보다 어려웠던 내가, 이젠 나를 사랑하는 것이 무엇보다 중요함을 안다. 나를 잃지 말자. 나를 사랑할 이유는 단지 내가 나라는 사실만으로 충분하기에, 언제나 사랑으로 감싸주고 안아주자. 다른 사람의 내가 아닌 온전한 나를. 여전히 많이 부족하고 모자라지만 그런 나라도 사랑하기로 했다. 또한, 완벽할 수 없는 내가 부족한 것은 너무나도 당연하기에, 당연하지 않은 것까지 바라지 말자고 다짐했다. 또다시 내가 싫고 삶이 무너지는 순간이 오겠지만, 그럼에도 나는 이제 더이상 두렵지 않다. 그건 내가 못나서 그런 게 아님을 이제는 아니까. 내가 나를 사랑하니까, 내 삶을 사랑하니까 다 괜찮다. 그 모든 순간은 더 성숙한 내가 되기 위한, 더 멋진 삶을 위한 드높은 도약임을 확신하니까.

　슬픔에 한없이 잠겨있다가도 매운 음식 하나면 금세 무슨 일 있었냐는 듯 웃음 짓는 그런 나를 사랑해야지.

"그대 창을 두드리던 이 편지는
다시 나에게 날아와 나의 맘을 가득 채울 것입니다.
'사랑해'라는 그대 이름 석 자로. "

밤에 몰래 쓴 편지는….

제승우

당신이 받은 이름 없는 편지의 정체가 무엇인지 아십니까?

오늘 낮에 전하려 했던 나의 마음은 눈 부신 빛에 다 드러날까 두려워 건네지 못합니다. 나의 마음을 모두 보여주기엔 내 볼이 너무 뜨거워 당신이 탈까 염려됩니다. 나는 당신께 해주고 싶은 말이 많지만, 그 말을 건네기엔 부끄러움이라는 내 치사한 감정은 언제나 나를 가로막습니다. 이 슬픈 내 마음을 알아줄 이 하나 없는 어두운 밤 남몰래 시를 써 못다 한 말을 건네봅니다.

나는 어릴 때부터 내 마음을 건네는 것이 어렵고 부끄러워 속마음을 표현하는 것이 힘들었다. 그냥 이 마음을 간직하고 이것들을 모두 모아 마음 한 켠에 꼬깃꼬깃하게 접어 감추는

데에 급급했다. 하지만 등교하는 교실 위 숫자가 올라갈수록 그 마음들은 쌓여만 가고 그 부피도 점점 커졌다. 부피가 커 접을 수 없는 마음들은 숨기지 못했고 그 큰마음들을 노트에 적어 고스란히 옮겨 놓았다.

이 마음들은 너무나도 부끄럽고 혼잡하여 내가 무슨 말을 한 건지도 모르는 채 두었다. 내가 보기에도 나의 마음은 무엇인지 모르는데 남들이 보면 어떤 느낌일지 감히 상상도 안 간다.

이러한 마음은 사랑도 같다. 전하고 싶은 마음은 항상 그대까지 닿지 못하고 항상 내 입 주변을 맴돌다 사라진다. 이 마음은 엄마에게 오늘 하루 있었던 일을 말하는 어린아이처럼 잘 알아듣기도 힘들다. 어찌하다 그녀와 얘기를 하고 난 뒤에 내가 한 말을 다시 되돌아보면, 내가 한 말이 멍청하게 보였는지 알기에 나의 얼굴에는 붉은 노을이 생긴다. 그 노을이 지고 난 뒤 밤이 찾아오면 난, 이 낯 뜨거운 내 감정을 그대에게 몰래 보낸다.

이 밤의 차가운 공기가 내 이름을 감추어 주길 기도하면서 내 마음의 시를 편지지에 적어 그대에게 보낸다. 당신의 시린 밤에 내가 그대를 녹여줄 차가 되길 바라며.

내 편지가 그대에게 닿기를 바라며, 시원한 공기가 그대에게 전달해 주길 바라며 이 글을 날려본다. 그대 마음에 닿길 바란다. 그대가 내 존재를 알아채길 바라며 이 부끄럽고도 부끄러운 내 마음을 오늘도 그대 창에 날려 보낸다. 그대를 향한 연시를.

시원한 바람이 코끝을 스치울 때
나는 그대 이름 석 자를 떠올려 봅니다.

빈 편지지에 꾹꾹 눌러 담은 그대 이름
이 편지지에 곱게 접어
그대 창으로 날려 봅니다.

그대 창을 두드리던 이 편지는
다시 나에게 날아와
나의 맘을 가득 채울 것입니다.

'사랑해'라는 그대 이름 석 자로

하지만 슬프게도 그대에게 닿길, 그대가 좀 더 나은 아침을 마주할 수 있길 바라며 쓴 내 마음이 담긴 편지는 오늘도 보내지 못하고 내 노트에 넣어둔다.

대신 잘 자라는 인사를 건네며 내 마음을 대신하며 오늘도 아쉬운 밤을 보낸다. 아쉬운 내 마음을 내일은 전할 수 있길 바라며 오늘도 잠을 청한다.

그대는 모르겠지 '잘 자'라는 이 텍스트 뒤에 숨은 나의 마음, 꼬깃꼬깃하게 접어놓은 감정을.

사실 그대가 알아주면 좋겠어. 내 마음이 닿아 그대가 더 나은 내일을 마주할 수 있으면 좋겠어.

밤에 몰래 쓴 편지는 • • •

"목적은 알 수 없지만 저 순수한 타오름은 사랑일 것만 같다."

텅 빈 구멍과 빠데[*]

최민규

밤사이 내린 비에,
파아란 풀들의 색이 유난히 더 짙다. 깨끗하고 향기롭다.
어쭙잖은 말들로 꾸밀 필요 없이,
바짓단을 한 칸 접어 올리고 걷는다.
장대 같던 비가 남긴 여운,
물웅덩이 위엔 나를 괴롭히던 얄미운 꽃가루가 앉았다.
그 모습이 꽤나 아름다워 그냥 다시 걸었다.

빨간 우체통이 하나 있는 골목길.
우체통 건너편의 벤치.
더욱 좁아진 골목길,
조금 이따 사람들이 다닐 때쯤이면
그 거리가 1m 남짓할는지….
추측건대 그냥 치우지 못한 벤치일 것이다.
이 벤치가 사람들에게 사랑받던 시절, 그때의 풍경은 나도

---

[*] 퍼티를 이르는 말. 일본식 발음의 공사장 은어.

모른다. 다만 내가 아는 것은, 먼지와 개미 정도만 털어주어도
이 벤치가 매주 토요일 새벽 나에게 썩 좋은 쉼터가 되어준다
는 점이다.

　　잔뜩 일어난 페인트칠을 바스러트리며 앉았다.
　　그리고 앞에 서 있는 찌그러진 우체통과
　　오늘도 어김없이 눈싸움 한판을 벌인다.
　　편지 한 장을 두고 말이다.
　　악필로 꾹꾹 눌러 담은 편지.
　　잘 쓰려고 애를 써 더 우스운 편지.

　　찾아오는 이라곤
　　복권 종이나 구겨 넣는 박 씨 할아버지가 전부인
　　저 고물 우체통과
　　몇 주째 다 구겨진 편지 봉투만 들고 다니는 나 사이
　　이 편지를 전함에 있어
　　누가 더 믿음직한가를 겨루는 것이다.

　　　　　　텅 빈 구멍과 빠데

사실 저 우체통은 이길 수 없는 게임이었다.
받는 이 이름조차 적지 못한 편지였기 때문이다.

길어지는 싸움에 지쳐갈 때,
호랑이도 아닌데 박 씨 할아버지가 대문을 열고 나온다.
창고서 빠데 통을 하나 들고나오더니
담벼락 패인 상처에 척척 얹어 사정없이 문대놓는다.
어쩜 색상과 재질, 뭐 하나 맞는 것이 없었다.
실력 또한 형편없었다.
아니, 성의가 없다고 봐야겠다. 입에 물은 담배 한 개비가 신
경 쓰이는지 흘러내린 빠데를 손가락으로 문질러 닦아내었다.
지저분한 손자국이 가득했다.

'정말 볼품없군. 저 양반 나중에 페인트나 한 겹 올릴는지'
'나이프는 두었다가 어디에 쓰는 거야?'
나는 연신 비웃었다.

박 씨 할아버지는 담배 한 대 더 꺼내 태우다 전화 한 통 받고
사라졌다. 아마 또 술 약속일 것이다. 얼룩진 담벼락이 애처로

위 보였다.

더 이상 보기가 싫어 드러누웠다.

태양 빛이 뜨겁다. 어느새 저기까지 올라간 건지 나와 눈을 맞추려 한다. 오늘만큼은 노곤히 풀어질 수 없어서 책 한 권 얼굴 위로 얹어 두었다. 얼마 지나지 않아서-사실 어느 정도의 시간이 흘렀는지는 알 수 없다-잠에 들었던 모양이다. 나는 알 수 없는 뜨거움에 눈을 떴다.

일렁이는 아지랑이에 날씨 탓인가 생각해 보아도 이는 피부로 느끼는 뜨거움이 아니었다. 그때 눈앞의 벽이 엉엉 울고 있었다. 거친 회색깔 쎄멘 벽 순백의 빠데가 울고 있었다.

다 마르지 않아 무른 퍼티, 굳기 위해 열을 내는 퍼티.

할아버지의 손자국은 흐려지는 듯해도 절대 없어지지 않는다. 저 하얀 빠데가 그의 흔적을 지우려 애쓰는지도 지키려 애쓰는지도 알 수 없었다.

그저 최선을 다해 굳어가고 있었다.

목적은 알 수 없지만, 저 순수한 타오름은 사랑일 것만 같다.

물러 터져 아름다웠고 굳어가서 마음 아팠다.

뚫린 구멍 속 문대놓은 퍼티 덩이는 저 볼품없는 담벼락이 사랑할 수 있는 충분한 조건이었다. 나도 그렇다. 사람이 그렇다. 메마르고 볼품없는 몸뚱이 한복판 구멍이 뻥 뚫렸다. 그 속을 메워 두는 새하얀 심장이 뜨겁게 타오른다. 그렇게 굳어간다.

무른 심장을 가지고 있는 우리는 손길을 기억할 것이다 자국에 아파할 것이다 지우려고도 해보고 지켜보려고도 할 것이다 애를 쓸 것이다 뜨거울 것이다 그렇게 타오를 것이다 그러다 굳어갈 것이다 먼 훗날 완전히 굳는 날 우리는 사라질 것이다 흔적이 남을 것이다 그 흔적 위로는 빗물이 고이고 꽃가루가 앉아서 놀 것이다

저 혼자 뛰고 난리인 심장을 붙잡아 두고는 툭 튀어나온 두 눈알을 집어넣고 메마른 입술을 씹으며 그렇게 헛소리만 지껄여댔다.

내 머리 위로 먼지가 쌓이고 벌레가 몸 위를 기었다.
빌린 자리를 돌려주어야 할 때이다.

집에 오는 길
나는 편지를 잃어버렸다.
집에 와서야 나는 그 사실을 알았다.
나는 종이와 펜을 꺼내 너의 이름부터 적어 넣었다.

텅 빈 구멍과 빠데

작가 소개글

-

김아현 _ 진심은 결국 작품으로 남는다. 작품을 만들어내고자 합니다. 진심이 부디 온전히 전해지길 바라며.

김정윤 _ 함께 발맞춰 나아가는 따스한 세상을 꿈꾸는, 맑고 투명한 사람. '공감하는 사회'를 만들어 가는 것이 목표입니다. 영감의 조각들을 잃어버리지 않기 위해 소중한 순간을 기록하고 있습니다.

김현정 _ 오늘의 내가, 내일의 나에게. 애정하는 것에 기대 나름의 열정을 쌓아갑니다.

박나연 _ 나는 당신에게 당겨 쓴 행복이 되었고, 그저 맑개 개어질 날을 기다리며 살아가는 우리들에게. 달려라, 뛰어라.

송규미 _ 내 글 속에서만큼은 누구보다 솔직한 사람이 되길 소망합니다. 나에게 솔직하게 살아간다는 것은 그 무엇보다 어려운 일이기에-

송민기 _ 잠 못 드는 밤을 우러러보아 한 줌의 영감을 쥐어보고자 합니다. 새벽의 바람과 별, 그리고 분위기에 잠겨 글을 써봅니다. 적막함을 바라보다 늦게 잠드는 사람입니다.

신혜원 _ 세상에는 빛이 있고, 그 빛에 비춰지는 사람들이 있습니다. 그러나 그 뒤에는 어둔 그림자도 있는 법이고, 그곳에 가려진 존재들도 있지요. 저는 그 존재들을 대신 비춰주고자 글을 씁니다. 잊혀진 존재들이 더는 없을 때까지, 계속.

안병호 _ 나의 이야기가 최고는 아니더라도 모두가 이해할 수 있는 이야기가 되기를. 길을 걷다 문뜩 한 번쯤 떠올릴 이야기가 되었으면 좋겠습니다.

안소이현 _ 한 글자 많은 이름. 그래서 한 글자 많은 기억. 따뜻함을 영감 삼아 글을 짓습니다. 나의 글이 당신의 머릿속에 한 글자만큼의 기억으로 남기를.

유경지 _ 여러모로 손이 바쁜 사람. 오래 썼고, 오래 쓸 사람. 사랑이 모든 걸 구하리란 믿음이 있기에 오늘도 바삐 사랑하고 있습니다.

윤지원 _ 가천대학교에서 한국어문학을 공부하는 학생이자 스포츠를 사랑해 기자를 꿈꾸는 사람입니다. 평소 스포츠를 보고 느낀 점을 남기는 것을 좋아해 다양한 방식의 글을 작성하고 있습니다.

이소정 _ 눈동자에서 시작해, 뒷모습으로 끝나는 것처럼. 저도, 그리고 저의 글도 당신의 시작이자 끝이길 바랍니다.

장서이 _ 강아지를 따라하는 것에 성공해서, 궁극적으로는 저희 집 강아지와 대화를 하고 싶다는 소망이 있습니다. *추신, 감자는 고로케도 튀김도 맛있다고 생각합니다.*

장서현 _ 머릿속에서 떠오르는 영감들을 글로 옮기는 걸 좋아하는 몽상가. 귀여운 것들과 음악을 좋아합니다. 영감을 주거든요.

정서현 _ '늘 최고는 아니더라도 최선으로 살자고 다짐한다.' 정상만을 보는 삶이 아닌 길을 같이 걷는 사람과 한 번 더 눈 맞추는 삶을 살고 싶습니다.

정선우 _ 결여를 사랑하는 글 쓰는 사람입니다만, 그렇다고 해서 사랑에 대해서 탐구하는 것도 그리 싫어하지는 않습니다. 최근에는 '보기 드문 이방인이여, 그대가 사랑하는 사람은 누구인가?'라는 글귀의 답을 찾는 것을 목표로 살고 있습니다. 그리고 이 책을 읽으시는 이방인 분들도 마찬가지로, 글을 읽으시면서 자신이 생각하는 사랑에 대해 스스로 질문을 던지고 충분한 답을 찾으셨으면 좋겠습니다.

정하린 _ 삶이란 무엇인지, 나라는 사람은 누구인지, 어떻게 살 것인지 끊임없이 고민해 본다. 진짜 행복을 찾는 여정. 한 손에 쥔 펜과 함께.

제승우 _ 저는 '어쩌다 보니'라는 말이 잘 어울리는 사람입니다. 어쩌다 보니 대학에 들어왔고 어쩌다 보니 이렇게 글을 쓰고 있습니다. 어쩌다 보니 이렇게 여러분들에게 제 글을 보여주게 됐는데, 여러분께 제 글을 보여줄 수 있어서 정말 기쁩니다.

최민규 _ 글 속의 나는 유독 간지럽고 센티합니다. 글 속의 나는 찰나의 순간에도 번쩍이며, 내가 걷는 길은 유난히 아름답습니다. 조금 더 투명해지려 합니다. 그래서 조금 더 아름다운 삶을 살고 싶습니다. 지금 이 글을 쓸 수 있도록 도와준 모든 이들을 사랑합니다.

수신자 부담

발행 | 2024년 07월 08일
저자 | 안소이현 김정윤 김아현 김현정 박나연 송규미 송민기 신혜원 안병호
유경지 윤지원 이소정 장서이 장서현 정서현 정선우 정하린 제승우 최민규

펴낸이 | 한건희
펴낸곳 | 주식회사 부크크
출판사등록 | 2014.07.15(제2014-16호)
주소 | 서울특별시 금천구 가산디지털1로 119 SK트윈타워
         A동 305호
전화 | 1670-8316
이메일 | info@bookk.co.kr

ISBN | 979-11-410-9359-4

www.bookk.co.kr
ⓒ 안소이현 김정윤 권영은 김서영 김수아 김아현 김현정 김혜린 박나연 박소
은 박지윤 송규미 송민기 송민주 신혜원 안병호 유경지 윤지원 이소정 임하윤
장서이 장서현 정서현 정선우 정하린 제승우 최민규 2024